Conserves

Conserves

Édition spéciale QUÉBEC LOISIRS ULC.
www.quebecloisirs.com

Dépôt légal — Bibliothèque et Archives nationales du Québec,
Bibliothèque et Archives Canada, 2016

ISBN QL : 978-2-89666-438-2

Imprimé au Canada

Crédits photos de la couverture et de la section couleurs : © Depositphotos/alisafarov (Pêches entières marinées) ;
Tatyana Malova/Shutterstock.com (Conserve de poivrons rouges) ; © Depositphotos/Shusha (Conserve de petits
pois) ; © Depositphotos/FabbriliElena (Chutney aux fruits) ; © Depositphotos/Almaje (Chutney aux pommes) ;
Ana Photo/Shutterstock.com (Betteraves marinées) ; © Depositphotos/ehpoint (Cornichons à l'aneth) ;
© Depositphotos/dolphy_tv (Ketchup aux fruits) ; Sarycheva Olesia/Shutterstock.com
(Sauce chinoise aux piments) ; © Depositphotos/Kudryashka (illustrations).

Michel Chevrier

Conserves

Québec loisirs

Stimule l'esprit, source de bien-être

Remerciements à
Francine Basile,
Andrée Chapman,
Diane Chevrier,
Margot Gascon,
Dagmar Gueissaz-Teufel
et Denise Jobin.

Table des matières

Chutneys et relishs 59

Marinades, piccalillis et chows-chows 81

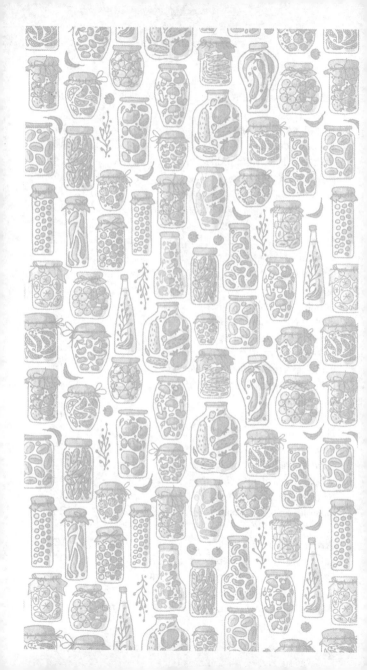

Avant-propos

« […] Les Indiens appréciaient beaucoup les grosses graines [de *Falcata comosa*] qui poussent enterrées. Comme la récolte était fatigante […], les femmes à qui ce travail incombait préféraient piller les nids de certains rats des champs […] qui font d'énormes réserves de graines. Les Indiennes Dakota […] affirmaient cependant qu'elles laissaient toujours aux rats de la nourriture en échange : soit une même quantité de grains de maïs ou quelque autre produit que les rats mangent volontiers. » – Claude Lévi-Strauss, *L'origine des manières de table,* Plon, 1968.

« Avant l'apparition des conserves, au début du XIXe siècle, avant la généralisation des chambres froides et des aliments surgelés, la conservation des aliments était difficile et pour la plupart il ne pouvait en être question. Le problème peut ne pas être capital si l'on habite pas loin des tropiques et des étés perpétuels, mais il le devient à mesure qu'on remonte vers les contrées tempérées et les hivers froids. Puisque l'homme de Néandertal et même avant lui l'homme dressé survécurent à de terribles hivers, nous sommes certains qu'ils savaient faire des provisions. Ils pouvaient, il est vrai, s'endormir au fond d'une caverne pendant la mauvaise saison et vivre une vie somnolente et très ralentie, comme le faisaient naguère certaines peuplades de Russie et de Sibérie, mais il est, même ainsi, nécessaire d'avoir quelques provisions. » – Jules Carles, *L'alimentation par les plantes,* Que sais-je ? n° 1558.

Introduction
La petite histoire
des conserves

L'histoire de la conservation des aliments remonte si loin dans le temps qu'il nous sera probablement toujours impossible de dire lequel des nombreux modes de conservation que nous allons voir dans ce livre fut le premier en usage. Il existe aujourd'hui une querelle entre les tenants de la théorie selon laquelle l'homme fut d'abord presque exclusivement carnivore (et même anthropophage) et ceux qui croient qu'il fut d'abord ramasseur de baies, de racines et d'autres plantes sauvages comestibles ou médicinales. L'homme étant de toute manière omnivore, laissons donc cette querelle aux spécialistes.

Toutefois, si nous nous en tenons aux premiers témoignages connus à partir de vestiges datés, nous savons que l'Australopithèque, notre lointain ancêtre africain, ramassait déjà des plantes il y a… deux millions d'années. C'est bien vague et pourtant c'est peut-être là – c'est-à-dire bien avant la maîtrise du feu par l'*Homo erectus,* datée, elle, à 800 000 ans – que débute l'art de la conservation des aliments. En effet, une fois qu'ils les avaient ramassés, encore fallait-il que nos ancêtres puissent conserver les produits de leurs récoltes en les protégeant contre les insectes, les animaux et les autres clans. Autre problème de taille à régler, il leur fallait aussi les protéger contre la corruption et c'est probablement par observation et expérimentation – vitales à sa survie dans les régions nordiques – que l'homme en vint à se rendre compte que les fruits et les céréales se conservaient mieux séchés et mis à l'abri de l'air, de l'humidité et de la lumière; les légumes (racines surtout), au froid; et les viandes et poissons, séchés ou conservés dans la terre, la cendre ou la graisse. C'est ce même sens de l'observation et de l'expérimentation qui le conduira plus tard à se rendre compte que le sel, le sucre et le vinaigre (et l'alcool), les trois grands agents de conservation, pouvaient prolonger de beaucoup la vie des aliments.

Claude Lévi-Strauss décrit, dans *L'origine des manières de table* (Plon, 1968), la fabrication du pemmican par les Amérindiens du Nord en termes si concis que je ne puis m'empêcher de reproduire ici l'extrait suivant: ils «exposaient la viande découpée en feuillets pour la faire sécher à l'air [...]. Après avoir obtenu des feuillets de viande dure et sèche, ils les posaient directement sur un lit de braises ardentes, d'abord d'un côté puis de l'autre. Ils les battaient ensuite, comme au fléau, pour les réduire en parcelles qu'ils malaxaient avec de la graisse ou de la moelle de bison fondue; et ils serraient cette préparation dans des sacs de cuir, en prenant bien soin qu'il ne reste pas d'air à l'intérieur. Les sacs une fois cousus, les femmes sautaient dessus et les piétinaient pour rendre la masse homogène. Quand chaque sac et son contenu formait un bloc compact, on les mettait de nouveau au soleil jusqu'à complète dessication». Ce pemmican était plus tard délayé dans l'eau chaude.

Plus à l'est, d'autres tribus savaient préparer le sirop et le sucre d'érable en les faisant bouillir dans des contenants d'écorce de bouleau sans les brûler. La préparation du sucre, auquel on mêlait de la graisse pour en améliorer la qualité, incombait aux femmes. Un mythe huron (rapporté par Marius Barbeau) raconte «comment l'esprit de l'érable transforma jadis en pain de sucre la sève qui coulait de l'arbre. Une Indienne qui faisait sa récolte voulut le manger, mais l'esprit lui apparut et expliqua qu'elle devait le conserver précieusement dans une boîte en guise de talisman ». – Claude Lévi-Strauss

La révolution du sel

— Dis-moi, trésorier-comptable, que représente le sel à tes yeux ?

— Le sel, Monseigneur, c'est une immense richesse ! C'est le cristal précieux, comme il y a des pierres précieuses, des métaux précieux. Dans de nombreuses régions, il sert de monnaie d'échange, une monnaie sans effigie, et donc indépendante du pouvoir du prince et de ses mani-pulations frauduleuses. Une monnaie par conséquent incorruptible, mais qui ne vaut que sous les climats abso-lument secs, car elle a le défaut de fondre et de disparaître à la première pluie.

— Incorruptible pour l'homme, mais à la merci d'une averse ! »

(Michel Tournier, *Gaspard, Melchior & Balthazar*, Gallimard, 1980)

Si nous sommes mal renseignés sur les origines de la conservation des aliments par les méthodes déjà invo-quées (séchage au soleil, cuisson, etc.), nous le sommes mieux sur l'histoire du sel (voir Jean-François Bergier, *Une histoire du sel*, Office du livre, 1982).

Connu depuis toujours comme le « condiment des condi-ments » (Plutarque), le sel a derrière lui une riche et longue histoire. C'est ainsi que dans les formules de potion données dans les papyrus égyptiens, on mentionne souvent le «sel frais». «Aux premiers temps de Rome, les simples soldats en recevaient une poignée quotidienne.» (Maguelonne Toussaint-Samat, *Histoire naturelle et morale de la nourriture*, Bordas, 1987). De là sont nés les mots *salaire, sol* et *solde*. En France, l'impôt sur le sel (la gabelle), d'une injustice criante, s'il enrichit seigneurs et percepteurs, provoqua de nombreuses révoltes, vite réprimées dans le sang. Il ne fut aboli, et encore que partiellement, qu'à la Révolution française.

Si le sel a joué un rôle économique de premier plan dans l'histoire, il a aussi donné lieu à de nombreuses superstitions. Considéré comme le symbole de l'hospitalité et de la parole donnée, il devenait, si renversé, présage de malheur. C'est pourquoi il fallait aussitôt en jeter trois pincées derrière soi par-dessus l'épaule gauche, pour chasser les mauvais esprits. «Léonard de Vinci n'a pas manqué de faire figurer sur la table de la Cène une salière renversée sous le coude de Judas.» (M. Toussaint-Samat) Symbole de pureté et de sagesse, le sel était associé aux rites entourant la naissance. Symbole de stérilité (qu'on se rappelle ce qui arriva à la femme de Lot), on en jetait sur les décombres des villes qu'on venait de détruire. Symbole de civilisation enfin, Homère disait, pour parler d'un barbare, qu'«il ne mêle pas de sel à ses aliments».

Ce sont probablement les peuples vivant au bord de la mer ou près des mines de sel qui, constatant son action sur le milieu environnant et sur le corps, ont eu l'idée de conserver poissons, viandes et légumes dans le sel.

Le roseau sucré d'Orient

Si les débuts de l'histoire du sel se perdent dans la nuit des temps, celles du sucre, en revanche, ne datent que de quelques millénaires. Probablement originaire du Sud-Est asiatique (bien que la plante n'existe pas à l'état sauvage), la canne à sucre fut, semble-t-il, d'abord exploitée par les Indiens. Le nom de la plante provient d'ailleurs du sanscrit *sarkara* (devenu tour à tour *saccharum* en latin et *sukkar* en arabe). Transmise par les Indiens aux Chinois, aux Égyptiens et aux Phéniciens, puis aux Grecs et aux Latins, c'est par les Arabes que l'Occident connut la canne à sucre.

Denrée de grand luxe, et payé au poids de l'argent, très longtemps le sucre (sous forme de sirop) fut surtout utilisé comme produit médicinal. Comme l'écrit Barbara Ketcham Wheaton dans *L'office et la bouche* (Calmann-Lévy, 1984) : « Les denrées rares ou onéreuses sont souvent introduites en tant que médicament. C'est la voie suivie par le sucre, qui est d'abord un médicament, puis un des éléments de la diète d'un malade, et enfin un produit alimentaire, curieusement doté par la rumeur publique de pouvoirs aphrodisiaques… »

Parvenu d'abord à Venise (dont il fera, avec les soies et les épices, la fortune), le sucre n'arrive en France qu'au Moyen-Âge. Peu à peu donc, sa vocation médicinale se transforme et « à partir du XVIe siècle, le sucre aura trois grands emplois : on s'en sert pour édulcorer, pour confire les fruits, les fleurs et les légumes, et enfin pour décorer, soit sous forme d'ornements travaillés à la main ou moulés, soit sous forme de glaces » (B. Ketcham Wheaton). Les Arabes puis les Italiens ayant ouvert la voie, Nostradamus publie en 1555 un des premiers recueils de confiserie en langue française. Introduite vers la même époque dans les zones tropicales du Nouveau Monde, la culture de la canne à sucre donnera lieu à l'un des épisodes les moins glorieux de l'Histoire. En effet, « l'expansion du sucre, avec ses grandes plantations et ses moulins, est liée à l'esclavage, et spécialement la traite des Noirs, travailleurs types des pays tropicaux où pousse la canne » (Hubert Deschamps, *Histoire de la traite des noirs de l'Antiquité à nos jours,* Fayard, 1971). Enfin, mise au point en Allemagne en 1745, l'extraction du sucre de betterave, qui allait permettre la démocratisation des prix du sucre, ne prit son essor qu'au début du XVIIIᵉ siècle.

L'art de tout garder

Même si ce n'est que plus tard, soit vers 1851, que Pasteur découvrit que les bactéries et autres agents pathogènes étaient responsables de la décomposition des aliments, c'est Nicolas Appert qui, vers 1809, mit au point la méthode de conservation qui porte son nom (appertisation). Appert, un ancien brasseur devenu confiseur, publia en 1810 *L'art de conserver, pendant plusieurs années, toutes les substances animales et végétales.* Selon l'auteur, il ne suffisait que de : « 1. renfermer dans des bouteilles ou bocaux les substances que l'on veut conserver ; 2. boucher les différents vases avec la plus grande attention, car c'est principalement du bouchage que dépend le succès ; 3. soumettre ces substances, ainsi renfermées, à l'action de l'eau bouillante d'un bain-marie, pendant plus ou moins de temps, selon leur nature et de la manière que j'indiquerai pour chaque espèce de comestibles ; 4. retirer les bouteilles du bain-marie au temps prescrit. »

Le *Courrier de l'Europe* avait écrit l'année précédente : « M. Appert a trouvé l'art de fixer les saisons : chez lui, le printemps, l'été, l'automne vivent en bouteilles, semblables à ces plantes délicates que le jardinier protège sous un dôme de verre contre l'intempérie des saisons. »

Appert reçut pour sa découverte la récompense de 12 000 francs-or promise par Napoléon (qui avait de la difficulté à ravitailler ses armées) à qui inventerait un tel procédé. Toutefois, n'ayant pas pris la peine de déposer un brevet, ce que feront à leur profit Anglais et Américains, ce « bienfaiteur de l'humanité » mourra en 1841 dans la misère, et c'est Raymond Chevalier-Appert qui, achevant les recherches entreprises par son oncle Nicolas, mettra au point en 1851 l'invention de l'autoclave qui allait, elle aussi, révolutionner l'art de la cuisson et de la conservation des aliments.

Un certain Monsieur Birdeye

Bien que l'homme ait su depuis fort longtemps que le froid et le gel profond conservent les aliments et qu'on fit usage, à Rome, de tonnes de glace importées à prix fort des contrées froides, ce n'est que depuis quelques décennies que sont apparus sur le marché réfrigérateurs et congélateurs. Bien des gens se rappellent les fameuses « glacières » qu'on devait constamment remplir de gros blocs de glace. Sait-on qu'autrefois ces blocs de glace étaient prélevés du fleuve Saint-Laurent gelé puis, protégés par des couches de paille, mis dans des entrepôts où ils duraient jusqu'à l'hiver suivant ? Le « livreur de glace » n'avait qu'à faire sa ronde…

Quant à la congélation et à la surgélation (cette dernière faisant appel à des températures plus basses que l'autre), méthodes de conservation des aliments très répandues aujourd'hui, ce n'est qu'en 1929 que Clarence Birdeye les mit au point. Dès le siècle dernier, on avait tenté des expériences de conservation par le froid, en particulier à bord de navires frigorifiés. Malheureusement, les produits voyageaient mal et perdaient, en cours de route, toute texture et toute saveur. C'est alors que Birdeye apprit par un informateur, que les Inuits du Labrador exposaient viandes et poissons à des froids très intenses, en les jetant sur la glace (comme on le fait encore dans la pêche blanche), pour les retrouver parfaits en les dégelant. Le tour était joué.

Instruments et produits employés

Le matériel requis

LES POTS

Il en existe plusieurs sortes, mais deux sont utilisés plus fréquemment. Ce sont :

Le **pot de type ordinaire** (Mason) : avec couvercle constitué d'une bague de métal et d'un disque de scellage. Ce pot est disponible en différents formats dont les plus appréciés pour les conserves ont une contenance de 250 ml (1 tasse), 500 ml (2 tasses) et 1 litre (4 tasses).

Le **pot de type français** : à rondelle de caoutchouc et couvercle de verre fixé par un étrier de métal. Ce pot coûte plus cher mais est plus beau que le premier. La rondelle de caoutchouc doit être remplacée chaque fois.

Les pots de produits commerciaux peuvent être employés pour les confitures et les gelées, jamais pour les conserves.

LES USTENSILES

- Une cuisinière munie d'un four.
- Une marmite à confire en fonte émaillée, pyrex ou acier inoxydable ; éviter surtout l'aluminium et le fer ou n'utiliser ce dernier que pour la cuisson proprement dite.
- Une deuxième marmite, utile dans bien des cas.

- Une marmite pour la stérilisation des conserves, soit : – un autoclave (récipient hermétique à pression) muni d'un faux-fond de métal ou – une marmite d'une capacité de 8 litres (32 tasses) munie d'un support à bocaux et conçue spécialement pour les conserves. L'autoclave est évidemment recommandé, car il économise temps et énergie en plus de donner de meilleurs résultats. On peut se procurer une marmite ou un autoclave dans les cuisineries, les quincailleries et plusieurs grands magasins.

- Un bain-marie, utile dans certaines recettes.

- Une ou deux planches à découper en bois.

- Un presse-jus.

- Une tasse à mesurer d'une capacité de 500 ml (2 tasses) ou 1 litre (4 tasses).

- Des cuillères à mesurer.

- Des cuillères en bois ou en acier inoxydable pour remuer les préparations.

- Une louche munie d'un bec pour le remplissage des pots.

- Un entonnoir à grande ouverture pour le remplissage des pots.

- Un pilon à pommes de terre pour écraser certains légumes.

- Une écumoire et une cuillère à égoutter.

- Une brosse à légumes.

- Un couteau éplucheur en acier inoxydable.

- Un couteau à légumes.

- Un zesteur ou un couteau à lame fine pour émincer les zestes.

- Un ustensile non métallique (spatule ou autre) pour chasser les bulles d'air des pots lors du remplissage.

- Des passoires à poignée (ou un panier de métal) pour laver, blanchir ou passer les légumes.

- Un chinois (passoire en forme d'entonnoir perforée finement et munie d'un trépied). On y écrase les légumes à l'aide d'un pilon de bois conique.

- Une spatule.

- Un fouet de métal.

- Une pince en métal spéciale pour retirer les pots de l'eau bouillante.

- Divers grands plats en grès ou en verre pour le dégorgement des légumes ou la mise en saumure.

- Un sac à gelée (en étamine) ou une taie d'oreiller blanche (pour le coulage des jus).

- De l'étamine et de la ficelle pour mettre les épices et condiments en sachet.

- Des linges à vaisselle propres pour essuyer les pots, les légumes, etc.

- Du papier journal sur lequel déposer les pots chauds ou dans lequel les envelopper.

- Un mortier et un pilon pour broyer les épices.

- Une balance pour peser les ingrédients.

- Des gants de caoutchouc pour la manipulation des pots chauds.

- Un mélangeur pour réduire en purée les sauces et les ketchups.

- Des sacs de plastique épais pour la congélation des légumes.

- Du papier d'aluminium pour la congélation des légumes.

- Un ensacheur pour emballage sous vide pour une bonne conservation des aliments congelés.

- Un diffuseur de chaleur.

Les ingrédients

LES SUCRES

Un sucre est un glucide sucré et soluble. Le terme de *sucre* est généralement appliqué au saccharose. Il existe en fait trois types de sucre que l'on extrait des fruits ou d'autres plantes.

Le saccharose (ou sucrose) : produit pur à 99,8 %, il est extrait de la betterave sucrière ou de la canne à sucre. Le sucre extrait de l'érable est aussi un saccharose. Ce sucre blanc et cristallisé fond à 160-190 °C (320-375 °F). En quantité modérée, le sucre blanc stimule la sécrétion des sucs de l'estomac et peut donc faciliter la digestion. C'est aussi un aliment énergisant puissant.

Toutefois, c'est, de tous les sucres, le plus pauvre sur le plan nutritif et le plus difficile à digérer ; il peut même, si l'on en abuse, agir comme déminéralisant et irriter le tube digestif. Les formes brutes du sucre extrait de la canne à sucre sont plus riches en éléments nutritifs (vitamines, fer, calcium). Ce sont la mélasse (noire ou de la Barbade) et le sucre demerara (vendu sous le nom de *cassonade* sous sa forme semi-raffinée). Malheureusement, ces produits contiennent des éléments fermentescibles qui sont contre-indiqués (sauf exception) dans la préparation des marinades. Le sucre candi, en gros cristaux, est une forme plus brute du sucre glace blanc. Ces deux derniers sont surtout utilisés en confiserie.

Le glucose (ou dextrose) : les fruits sucrés, le miel, mais surtout les raisins en contiennent. Ce sucre fond à 146 °C (près de 300 °F).

Le fructose (ou lévulose) : il est présent dans les fruits mûrs sucrés (cerise, fraise, framboise, poire), le miel et le nectar de fleurs. Il fond à 102-104 °C (environ 215 °F). C'est le seul sucre permis aux diabétiques.

La saccharine est un succédané fabriqué à partir du toluène, un produit du pétrole. À l'état pur, elle sucre 550 fois plus que le sucre ordinaire, mais n'a aucune valeur alimentaire et peut même être considérée comme un poison.

LE SEL

Composé métallique appelé par le chimiste chlorure de sodium (NaCl), le sel provient de la mer (et des marais salants) ou des mines de sel gemme. Le sel est défini par son degré de pureté et non par son origine. C'est pourquoi le sel iodé (sel fin de table), quoique plus fort, est moins pur et de goût moins fin que le gros sel, qu'il s'agisse du sel gemme ou du sel marin (parfois grisâtre) qu'il faut moudre.

Le rôle du sel est multiple :

1. Il accentue le goût des aliments et stimule l'appétit.

2. Il nourrit (grâce au sodium et au chlore qu'il contient).

3. Il conserve. Employé depuis des temps immémoriaux pour conserver les poissons, les viandes et même certains légumes, le sel est souvent un ingrédient essentiel dans certaines cuissons. C'est ainsi que « la viande de bœuf pour le pot-au-feu gagne à séjourner une nuit recouverte de sel ». Et, précise Pierre Delaveau (*Les épices*, Albin Michel, 1987), « si l'on sale avant cuisson, le suc des viandes est attiré par le sel, d'où un changement de

goût. Un saisissement suffisant coagule les protéines en surface et retient le suc en profondeur». À l'inverse, si le sel attendrit les viandes coriaces (avec ou sans marinade), il durcit les viandes tendres et, ajouté à l'eau de cuisson, les légumes.

Dans les marinades, ketchups, etc., le sel est employé d'abord pour faire dégorger les légumes et les rendre plus poreux aux ingrédients (sucre, épices, vinaigre) dans lesquels ils seront marinés. Le dégorgement dure généralement 12 heures et les légumes doivent ensuite être rincés et bien égouttés. Généralement, les légumes sont suffisamment assaisonnés de sel par ce traitement.

Du point de vue de la santé, le manque tout autant que l'abus de sel sont nocifs. Sans le sel, dont le rôle est de maintenir l'équilibre des liquides dans l'organisme, le corps se déshydrate. À l'inverse, une trop grande consommation de sel «s'accompagne toujours d'un accroissement de la tension si elle est déjà élevée». Toutefois, une brutale suppression du sel peut entraîner, surtout chez les personnes âgées, un risque d'un autre ordre, l'abaissement de la volémie – le volume de sang circulant. Si l'on doit, sur ordre du médecin, s'abstenir de sel, «on recommandera donc une réduction progressive pour éviter de bouleverser les mécanismes subtils du délicat équilibre physiologique». (P. Delaveau)

Comme rien n'est plus triste qu'un régime sans sel, surtout quand on y est habitué depuis toujours, on pourra remplacer le sel par des plantes (séchées au four puis broyées) riches en potasse comme le tussilage ou la salicorne, l'estragon (goût de sel et de poivre) ou par d'autres épices.

L'ALUN

Bien que prescrit dans certaines recettes comme astringent pour rendre croquants certains légumes (petits oignons blancs et cornichons), on le considère aujourd'hui comme nocif pour la santé.

De plus, l'alun peut conférer une certaine amertume aux aliments.

LES VINAIGRES (ET LE VERJUS)

Un vinaigre est un acide acétique obtenu par oxydation de l'alcool éthylique contenu dans certains jus de fruits ou bouillies de céréales (orge, etc.) qui ont été fermentés. On emploie dans les recettes de marinades du vinaigre blanc, de cidre, de vin, de malt, etc. On peut aussi faire des vinaigres aromatisés à la framboise, à la mûre, à l'ail, à l'estragon, à l'aneth ou autres fines herbes, aux épices, etc. (voir Vinaigres épicés, page 164).

Alors que «le principe du salage rejoint l'emploi du sucre» et que «la haute concentration osmotique obtenue dans la chair décourage la très grande majorité des micro-organismes, bactéries putrides et champignons» (P. Delaveau), le vinaigre doit à son principe antiseptique (plus ou moins développé selon sa force) d'être le troisième grand agent de conservation des aliments. C'est lui aussi qui, par son acidité (atténuée ou accentuée par les produits avec lesquels on l'assaisonne) donne de la saveur à des aliments autrement insipides. Alors que le vinaigre «cuit» les viandes dans lequel on les marine, à l'inverse, il durcit les légumes à la cuisson ; c'est pourquoi il est préférable, dans certains cas, de préparer le vinaigre et les épices avant d'y cuire les légumes et préférablement 1 à 2 semaines avant de remployer.

Le verjus, quant à lui, est « un liquide acide qui vous emporte la bouche [...]. Il est généralement fait avec du jus de raisins verts, parfois fermenté, mais pas toujours ; il peut également être fait avec du jus de pommes sauvages [...]. Le verjus vert est parfois coloré et parfumé à la purée d'oseille ». (B. Ketcham Wheaton) Très populaire au Moyen-Âge dans les soupes, ragoûts, sauces, etc., le « vert jus » n'est plus guère utilisé que dans les moutardes, quoiqu'on pourrait probablement en faire, après fermentation, d'excellents vinaigres.

Tout comme on l'a vu pour le sucre et le sel, il ne faut pas abuser des aliments marinés au vinaigre, car s'ils stimulent l'appétit et aident à la digestion des aliments (viandes grasses en particulier), ils peuvent irriter l'estomac et les autres voies digestives.

LES PRINCIPAUX LÉGUMES

Artichaut : légume fin riche en vitamines A et B et en sels minéraux, de digestion facile et indiqué à ceux qui ont le foie délicat ou malade. À manger frais de préférence avec une vinaigrette à l'huile d'olive (vierge et pressée à froid) et au jus de citron ; une fois cuit, l'artichaut ne se conserve pas plus de 24 heures. Créé à partir du cardon (dont on ne consomme que les côtes) par les jardiniers italiens de la Renaissance, l'artichaut est de culture ardue au Québec. Les grosses fleurs épanouies sont très ornementales.

Asperge : riche en vitamines A et C et en sels minéraux, c'est, selon l'expression de la regrettée Jehane Benoît, « l'aristocrate des légumes ». Excellent diurétique, quoique déconseillée aux gens qui souffrent de cystite, l'asperge fut introduite tôt au Québec et s'y est, en certaines régions, complètement naturalisée. En culture, une plantation commence à produire au bout de 3-4 ans, mais peut durer ensuite une vingtaine d'années.

Aubergine: légume riche en vitamine A, en phosphore et en calcium. Excellente farcie ou en ratatouille, l'aubergine peut être tout simplement rissolée en tranches dans beaucoup d'huile d'olive et assaisonnée de sel et de poivre. On cultive une aubergine blanche à petits fruits blancs en forme d'œuf; celle-ci est surtout ornementale.

Betterave: «C'est une racine fort rouge, assès grosse, dont les feuilles sont des bettes, et tout cela est bon à manger… Le jus que (la racine) rend en cuisant, semblable à syrop au sucre, est très beau à voir pour sa vermeille couleur.» (Olivier de Serres, 1600) Légume riche en vitamines A, B et C, en sucres (donc contre-indiqué aux diabétiques) et en sels minéraux, la betterave est très nutritive. On extrait du sucre de la betterave sucrière que depuis la fin du XVIIIe siècle.

Carotte: «Un des légumes les plus précieux pour l'homme.» (Dr Jean Valnet) La carotte est en effet très riche en vitamines, sucres et sels minéraux et Jean Valnet recommande la soupe aux légumes et herbes suivante: «… carotte, poireau, oignon, ail, thym, romarin, navet, clou de girofle, laurier, céleri, cerfeuil et persil» à cuire dans un bon bouillon de bœuf ou de poulet. Sur le plan médicinal, la carotte est recommandée contre tous les problèmes intestinaux et l'anémie. Les feuilles peuvent être employées dans les soupes ou les herbes salées.

Céleri: «Le céleri donne de l'affection, les olives, de la passion», dit un proverbe québécois. Cela tient-il au fait qu'à la Renaissance le céleri confit était considéré comme un aphrodisiaque ? Quoi qu'il en soit, ce légume est assez riche en vitamines A, B et C et en sels minéraux. Le bouillon de céleri, à raison de 250 g (½ lb) de plante par litre (4 tasses) d'eau et d'une heure de cuisson, est excellent contre les engelures. On peut aussi cultiver le céleri-rave, un des légumes-racines les plus fins au goût et de grande valeur alimentaire.

Chou : un des légumes les plus riches en vitamines et en sels minéraux, particulièrement recommandé à ceux qui ont des problèmes d'estomac et d'anémie ; c'est aussi un cicatrisant de premier ordre (passer une feuille placée entre deux linges au fer à repasser et appliquer). Cultivé par les Celtes et les Germains, il fut ensuite connu et fort apprécié des Grecs et des Romains. On a créé, à partir de la plante sauvage, plus de 400 variétés de choux (brocoli, *kale,* chou pommé, chou de Savoie, rouge, chou-rave, etc.).

Concombre (et cornichon) : assez riche en vitamines, il a peu de valeur une fois mariné. On l'utilise en lait pour les soins de la peau.

Courge et courgette : riches en vitamine A, les courges sont employées braisées, farcies, en potages, purées, etc. La courgette est employée rissolée, farcie, en ratatouille ou marinée (voir recettes).

Échalote : de même valeur que l'oignon, mais d'un goût plus délicat, qu'il s'agisse de la rose ou de la jaune. Appelée par Louis Lagriffe (*Le livre des épices, condiments et aromates,* Marabout, 1966) la « perle de la gastronomie », elle est en effet un ingrédient indispensable à de nombreuses sauces et vinaigrettes. Elle peut aussi être marinée, seule ou en mélange avec d'autres légumes (procéder comme pour les petits oignons blancs). Au Québec, on confond parfois l'échalote avec l'oignon vert (ciboule). En France, une coutume veut qu'on serve les huîtres fraîches avec un filet de jus de citron et de vinaigre d'échalote.

Épinard : très riche en vitamines B, B12, C et en sels minéraux. À manger cru de préférence (en salades, telle la César) ou cuit à la marguerite. L'épinard est un reminéralisant de premier ordre et mérite à juste titre sa réputation de « balai de l'intestin ».

Haricot (et fève) : alors que les haricots sont riches en vitamines A, B et C et en sels minéraux, les fèves le sont surtout en vitamines B et C, protéines (fèves soja et pois chiches surtout) et sels minéraux. Les Amérindiens cultivaient jusqu'à une trentaine de variétés de haricots.

Laitue : riche en vitamines A, B, C, D et E, en sels minéraux (magnésium en particulier) et en lactucarium. Appelée par les anciens la *plante des eunuques* (ou des *sages*), la laitue est en effet sédative et anaphrodisiaque. On pourrait faire avec les plants montés en graines d'excellentes infusions somnifères (pour corriger l'amertume, sucrer au miel).

Maïs : riche en vitamines B et C et en sels minéraux, le maïs est très nutritif. Avec le haricot et la courge, il faisait partie des *Trois Sœurs* de la mythologie amérindienne. Sa culture date d'au moins 8000 ans et serait donc l'une des plus anciennes du monde.

Navet : riche en vitamines A, B et C, en sels minéraux et en sucre. Peut se manger en pot-au-feu ou en purée, mais aussi râpé cru en vinaigrette ou encore mariné (voir recettes p. 117).

Oignon : légume-panacée riche en sucre, en vitamines A, B et C et en sels minéraux. Stimulant général, diurétique puissant et remède excellent contre la grippe. Jean Valnet donne la recette suivante (dans *Aromathérapie*, Maloine, 1972) : « Laisser macérer 2 oignons émincés dans 500 ml (2 tasses) d'eau. Un verre de la macération entre les repas et un au coucher pendant une quinzaine de jours. »

Piment et poivron : très riches en vitamines A et C et en sels minéraux (fer en particulier), on en connaît de toutes les couleurs et de toutes les formes, les uns forts (piments), les autres doux (poivrons). Le piment est l'ingrédient de base d'un grand nombre de sauces orientales ou centre-américaines (harissa, *moles* mexicains, sauce aux « cerises » chinoise, etc.). En coupant les piments forts, il faut toujours faire bien attention de ne pas toucher ses muqueuses (celles des yeux, en particulier).

Poireau : légume très riche en vitamines B et C et en sels minéraux. De culture longue mais profitable, il se conserve bien en chambre froide et parce qu'on peut le cueillir même après les premières neiges. Les feuilles peuvent être séchées au four pour être utilisées dans les soupes ou broyées dans les sels de fines herbes.

Pois : riches en vitamines A, B et C et en sels minéraux (phosphore surtout), le pois vert (ou petit pois) et le pois mange-tout sont des variétés améliorées de la plante sauvage.

Pomme de terre : riche en glucides, vitamines du complexe B, protéines et sels minéraux. Cultivée depuis des lustres par les Incas et peut-être aussi par certaines tribus amérindiennes du Nord, la plante dut faire un long détour par l'Europe et connaître diverses fortunes avant de prendre au Québec l'importance que l'on sait. En effet, cultivée d'abord comme plante ornementale, elle ne s'imposa vraiment, malgré les efforts de Parmentier, que bien au-delà de la Révolution française. La pomme de terre cuite ne se conserve pas plus de 24 heures.

Radis : riches en vitamines B et C, les radis, le noir surtout, sont excellents pour stimuler et nettoyer le foie. Jean Valnet donne la recette de sirop de radis noir suivante : « Placez dans une terrine des couches alternées de rondelles de radis noirs et de sucre candi. Le lendemain, un sirop abondant se sera formé. Quatre à six cuillerées à soupe par jour ont raison des toux les plus rebelles. » Les autres radis (rouge, rose, blanc) ont des vertus comparables mais moindres.

Raifort : riche en vitamine C et en sels minéraux, ce légume-condiment est surtout un stimulant des voies digestives. La plante est sauvage dans certaines régions du Québec. La sauce au raifort se fait en mêlant 2 c. à soupe de raifort pelé et râpé, ¼ de c. à café (à thé) de moutarde forte, 160 ml (⅔ de tasse) de crème 35 %, 2 c. à café (à thé) de sucre en poudre et du sel et poivre au goût. Cette sauce est excellente avec le saumon grillé.

Rutabaga : de valeur comparable à celle du navet.

Salsifis : riche en glucides et en divers sels minéraux, ce légume devrait être davantage cultivé, car il peut passer l'hiver sous terre pour n'être cueilli que le printemps suivant. Placer les salsifis dans de l'eau vinaigrée pour ne pas se tacher les mains en les pelant.

Tomate : très riche en vitamines A, B et C et en sels minéraux. Qui pourrait imaginer la cuisine italienne ou provençale sans tomates ? Et pourtant, ce n'est que depuis le XVIIIe siècle que celle-ci est cultivée en grand. Comme la pomme de terre et le tabac, ramenés du Nouveau Monde après sa découverte, la tomate fut d'abord cultivée comme curiosité botanique et plante ornementale. Quand on casse les gourmands des plants de tomate, se laver ensuite les mains avec une tomate écrasée.

Topinambour : riche en vitamines A et C et en glucides, c'est un légume nourrissant qui produit cinq fois plus que la pomme de terre. Il pousse dans n'importe quel sol et fleurit abondamment.

LES ÉPICES, CONDIMENTS ET FINES HERBES

Sur le rôle général des épices et condiments dans les marinades, disons qu'ils assaisonnent les fruits et les légumes, aident à la conservation des produits (certaines épices comme la cannelle, le genièvre, le clou de girofle, etc., ont un pouvoir antiseptique puissant) et stimulent l'appétit et la digestion. Rien n'est plus agaçant que la confusion qui met dans le même panier sous le nom vague d'*épices* les vraies épices, les condiments, les fines herbes et le sel. Si l'abus de sel peut provoquer, comme on l'a vu, des problèmes de santé, les épices, condiments et fines herbes ont au contraire, à doses raisonnables, une action positive sur la santé (sauf contre-indications spécifiques).

Ail (et ail des bois) : employées crues, les gousses d'ail ajoutent une saveur chaude aux légumes marinés au vinaigre ou à l'huile (cornichons, choux-fleurs, champignons). Quant à l'ail des bois, c'est un condiment à servir avec les viandes, surtout le gibier.

Aneth : tout le monde connaît les cornichons à l'aneth *(dill pickles)*. Mais on peut aussi se servir de cette plante de culture facile dans les marinades pour poissons et diverses autres recettes : plats grecs, sauces, etc. Aneth et fenouil sont interchangeables.

Badiane (ou anis étoilé) : les grosses graines en forme d'étoile de la badiane ont un parfum chaud qui rappelle celui de l'anis. La badiane est un ingrédient essentiel des poudres de cari indiennes, du cinq-épices chinois (avec le clou de girofle, la muscade, le poivre noir et la cannelle ou le gingembre) et de l'anisette de Marie Brizard. On peut s'en servir dans divers mélanges d'épices servant à assaisonner les marinades aigres-douces ou sucrées (chutneys, ketchups, etc.).

Cannelle (et casse) : la cannelle vraie (la plus fine) est celle du Ceylan alors que celle de Chine, plus rouge, est le cassia ou « casse ». L'une et l'autre s'emploient dans les mélanges d'épices entières et parfois moulues.

Câpres : condiment d'importation qu'on emploie dans les salades et diverses sauces (hollandaises, ravigote, au vin blanc), les câpres relèvent le goût des poissons d'eau douce et des viandes grasses. Vu leur prix assez élevé, on peut les remplacer par des boutons de pissenlit (cueillis très jeunes au cœur de la rosette de feuilles), de souci cultivé ou de souci d'eau (populage) ou encore de capucine (voir Boutons de pissenlit confits, p. 150).

Capucine : fleurs, feuilles, boutons, toutes les parties de la capucine sont comestibles. On peut en faire des vinaigres. Les feuilles et les fleurs peuvent, en petites quantités, agrémenter et rendre plus piquantes les salades vertes.

Cardamome : autre ingrédient essentiel des poudres de cari, les semences fines de la cardamome sont employées surtout pour parfumer les charcuteries, les bouquets garnis pour poissons et les pains d'épices. C'est, à cause de son odeur particulière, une épice à employer avec discrétion dans certaines marinades (surtout d'origine indienne).

Céleri (graines de): un des condiments les plus fins à employer dans les soupes, les ragoûts et dans de nombreuses marinades auxquelles il ajoute une note verte, suave et généreuse.

Coriandre: une autre épice à employer avec discrétion et seulement lorsque indiqué. Comme celles de la cardamome, les graines de coriandre mâchées servent à neutraliser l'odeur de l'ail. Les feuilles de la plante fraîche sont utilisées dans certaines préparations.

Cumin: épice au parfum fort à employer avec discrétion. On peut s'en servir pour assaisonner la choucroute.

Curcuma: la poudre de la racine de cette plante sert à assaisonner et à colorer en jaune diverses marinades. Cet autre ingrédient de base de la poudre de cari est désormais reconnu pour ses propriétés antioxydantes remarquables.

Estragon: l'une des plus prestigieuses fines herbes, l'estragon peut à lui seul remplacer le sel, le poivre et le vinaigre. Employé dans les salades vertes, diverses sauces (béarnaise, rémoulade, ravigote, etc.), il entre aussi dans la fabrication du vinaigre à l'estragon. Dans les marinades, on se sert surtout de la plante fraîche pour parfumer les cornichons.

Fenouil (*voir* Aneth).

Genièvre (ou genévrier): les baies de ce petit conifère, abondant dans certaines régions du Québec, servent surtout à aromatiser la choucroute. On l'emploie aussi dans les marinades où doit séjourner le gibier à poil ou à plumes.

Gingembre : employé dans les gâteaux aux épices et de nombreuses recettes orientales, on l'utilise dans les marinades aigres-douces ou sucrées. On peut aussi le confire dans le vinaigre.

Girofle : employé dans les ragoûts (de bœuf surtout), certaines sauces et avec le jambon. « Son emploi avec l'oignon réalise une association particulièrement heureuse. Sa cuisson développe le principe sucré de celui-ci tandis qu'elle atténue l'âcreté du clou de girofle et que l'arôme du second supprime les effluves alliacés du premier. » (L. Lagriffe) À utiliser avec discrétion dans les mélanges d'épices ou des recettes comme celles des tomates vertes marinées, les clous de girofle sont les boutons floraux de la plante.

Laurier : employé dans les sauces et les ragoûts qu'il relève de son arôme chaud et doux, il entre dans tous les mélanges d'épices pour marinades et les bouquets garnis. La plante peut se cultiver à l'intérieur comme plante ornementale, mais ne doit pas être confondue avec le laurier-rose qui est vénéneux.

Livèche : quoique d'un goût plus prononcé que le céleri, on pourrait l'employer dans certaines recettes où sont requises les graines de céleri. Les feuilles se sèchent bien.

Moutarde : une des plantes condimentaires les plus utilisées, soit en graines, en poudre ou encore en moutarde préparée (marques commerciales innombrables). Ses usages sont trop connus pour les nommer tous.

Muscade (et macis) : à employer fraîchement râpée de préférence, la noix de muscade entre dans la fabrication de nombreuses marinades. On peut aussi en parfumer les vinaigrettes pour salades vertes. Le macis, de saveur et odeur plus fines, est constitué de l'enveloppe de la noix de muscade. À hautes doses, la muscade est euphorisante et même hallucinogène (et dangereuse).

Piment : *voir* Les principaux légumes, page 28.

Poivre : l'«épice des épices». Le poivre est trop connu pour rappeler ici ses utilisations. Disons seulement qu'il existe du poivre noir, du poivre blanc (il s'agit du noir, mais débarrassé de son enveloppe) plus fin et plus parfumé, et du rose (qui provient d'une plante d'une autre famille que le poivrier et qu'il serait plus juste d'appeler les *baies roses de Bourbon*). Du point de vue de la santé, le poivre tonifie l'organisme, stimule l'appétit, aide à la digestion et à la dissolution des graisses et des glucides dans l'organisme. Il ne faut toutefois pas en abuser, car il peut provoquer des irritations gastro-intestinales.

Piment de la Jamaïque : les graines de cette plante (*Pimenta dioica*) originaire de l'Amérique centrale ont l'avantage de combiner les goûts du girofle, du poivre, de la cannelle et de la muscade.

Raifort : *voir* Les principaux légumes, page 28.

Sarriette : une des rares fines herbes à être employées dans les mélanges d'épices pour marinades dont elle rend la digestion plus facile.

VALEUR ALIMENTAIRE DES LÉGUMES MIS EN CONSERVE, MARINÉS OU CONGELÉS

Tout comme «les vitamines synthétiques ne sauraient remplacer un manque de vitamines naturelles, (…) les aliments trop cuits, stérilisés et, d'une façon géné-rale appauvris en vitamines, *a fortiori* ceux qui en sont totalement dépourvus, se comportent, selon certains auteurs, comme des "anti-vitamines" qu'un apport supplémentaire de vitamines ne suffit pas toujours à neutraliser. On le comprend sans peine si l'on veut bien se rappeler que les aliments, pour être parfaitement assimilés, doivent comporter l'ensemble équilibré dont les a doté la nature». (Jean Valnet, *Traitement des maladies par les légumes, les fruits et les céréales*, Maloine, 1972; je recommande cette œuvre à quiconque désire faire une étude plus approfondie de la valeur nutritive et médicinale de ces produits.) Il faut donc inclure des légumes frais dans son alimentation chaque jour.

Les méthodes de conservation

La mise en conserve (appertisation)

ÉTAPES

1. Choisir des légumes frais et fermes. Les nettoyer puis les parer. Si l'on a un potager, récolter les légumes juste avant de les traiter.

2. Stériliser les pots, les rondelles de caoutchouc ou de métal à rebord caoutchouté en les faisant bouillir 15 minutes. Stériliser aussi les ustensiles qui serviront à la confection des conserves et marinades.

3. Blanchir les légumes le temps requis (voir Tableau II). Les refroidir ensuite dans l'eau froide pour arrêter la cuisson, puis les égoutter à fond et les assécher au besoin. Le blanchiment permet de peler facilement certains légumes (tomates, petits oignons); les carottes, panais et autres légumes-racines peuvent être brossés après le blanchiment. On ne doit pas les peler pour préserver leur valeur nutritive.

4. Remplir les pots stérilisés et chauds (ceux-ci doivent avoir été placés à l'abri des courants d'air sur une planche de bois ou quelques épaisseurs de papier journal). Ne jamais tasser les légumes dans les bocaux de manière à permettre à l'eau de circuler autour.

5. Couvrir les légumes d'eau chaude (nouvelle eau), puis chasser les bulles d'air à l'aide d'un ustensile non métallique. Ajouter 1 c. à café (à thé) de sel par pot de 1 litre

(4 tasses). Ajouter aussi un peu de sucre aux tomates. Toujours réserver un espace vide (partie vide qui reste entre le contenu du bocal et le couvercle) de 1 à 2 cm (½ à ¾ de po). Aux betteraves, ajouter 1 c. à soupe de vinaigre pour en préserver la couleur.

6. Essuyer le bord du bocal et centrer un disque de scellage chaud sur le dessus. Visser la bague jusqu'au point de résistance. Resserrer ensuite du bout des doigts. Placer les bocaux dans une marmite ordinaire (munie d'un panier de broche ou d'un faux-fond) ou dans l'autoclave (avec le faux-fond). Remplir la marmite d'eau chaude en quantité suffisante pour que les bocaux soient couverts aux trois quarts dans l'autoclave et entièrement dans la marmite ordinaire. Le fond des pots ne doit jamais toucher le fond de la marmite. Éviter que les pots se touchent, car ils pourraient se briser sous l'effet de la chaleur vive.

7. Stériliser les pots le temps requis (voir Tableau II). Fermer le feu et retirer le couvercle de la marmite. Laisser reposer les bocaux dans l'eau 5 minutes. Étendre un linge propre sur un plan de travail et y laisser reposer les bocaux 24 heures. Vérifier les couvercles et réfrigérer les bocaux mal scellés.

8. Bien essuyer les bocaux et les étiqueter (avec la date de mise en conserve). Entreposer dans un endroit frais, sec, propre et à l'abri de la lumière. Éviter de garder les pots sur des étagères élevées, car ils seront exposés à trop de chaleur. Généralement, les conserves doivent être consommées dans l'année suivant leur fabrication. Au bout de ce temps, elles ont perdu beaucoup de leurs éléments nutritifs. Les légumes en conserve doivent être cuits au moins 10 minutes avant d'être consommés.

Il est important de glisser un mot au sujet du botulisme, une intoxication extrêmement grave et foudroyante provoquée par la consommation de conserves mal stérilisées ou entreposées de façon inadéquate. Les bactéries responsables de cet empoisonnement prolifèrent surtout dans les aliments non acides (asperges, maïs, haricots et fèves). C'est pourquoi le contenu de toute conserve qui coule lors de l'entreposage ou qui, lorsqu'on l'ouvre, présente des bulles, de l'écume ou une odeur suspecte, doit être immédiatement jeté (même si, par malheur, l'acide botulique est inodore). Je vous recommande donc de congeler les légumes mentionnés précédemment plutôt que de les mettre en conserve ou alors de n'employer que des pots parfaits et de les stériliser le plein temps indiqué dans les recettes ou le Tableau II. Par ailleurs, il ne faut acheter dans les épiceries ou marchés que des boîtes de conserve parfaites non bosselées ni éraflées.

Les marinades

Les marinades sont, soit une préparation où l'on fait mariner les viandes ou les poissons pour les attendrir et les assaisonner, soit tout produit conservé dans le vinaigre ou la saumure.

Le chutney original (de l'anglo-indien *chatny*, qui signifie goûter ou lécher) est une sauce aigre-douce à base de fruits, sucre, gingembre, piment et vinaigre. Toutefois, on peut aussi en faire à base de légumes. Un chutney peut être sucré ou aigre, fort ou doux. Les chutneys accompagnent bien les viandes grasses froides ou chaudes, les caris indiens, les fromages forts, etc.

Le ketchup (du malaisien *ké-tsiap*, mot servant à désigner une saumure de poisson vinaigrée) est une marinade plus ou moins liquide et parfois passée au tamis ou au mélangeur après cuisson.

Le piccalilli est une marinade de légumes finement hachés tandis que le chow-chow est une marinade à la moutarde. Les piccalillis accompagnent bien le jambon et le rôti de porc froid.

Enfin, les achards (d'origine réunionnaise) sont des légumes confits dans l'huile et le vinaigre.

ÉTAPES DE FABRICATION

1. Choisir des légumes frais et fermes. Les nettoyer puis les parer. Épices : condiments et fines herbes doivent aussi être frais. Employer de préférence les épices entières et les mettre dans un sachet d'étamine bien noué. Si la recette exige des épices moulues, les moudre dans un mortier ou à l'aide d'une râpe (les grains peuvent être passés au moulin à poivre). En achetant épices et autres assaisonnements en vrac, on fera de bonnes économies.

2. Reprendre l'étape 2 de *La mise en conserve* (voir p. 40).

3. Suivre les recettes et cuire les marinades le temps requis en les remuant fréquemment, surtout en fin de cuisson. L'utilisation d'un diffuseur de chaleur (plaque de métal épaisse, trouée et munie d'un manche de bois qui répartit la chaleur dans la marmite) s'avère ici des plus pratiques.

4. Remplir les pots stérilisés les plus chauds possible (ils doivent avoir été placés à l'abri des courants d'air, sur une planche de bois ou quelques épaisseurs de papier

journal). Chasser les bulles d'air des pots avec un ustensile non métallique. Réserver un vide de 1 cm (½ po).

5. Couvrir les pots et les sceller le plus rapidement possible.

6. Reprendre l'étape 8 de *La mise en conserve* (voir p. 41).

La congélation des légumes

De tous les modes de conservation des légumes, la congélation est le plus pratique. En plus d'être le plus rapide, il permet de faire des économies (si l'on a un potager ou si l'on achète les produits en grandes quantités en saison) et d'avoir sous la main des légumes prêts à cuire. Les légumes doivent être les plus frais possible.

Certains légumes ne doivent jamais être congelés : ils pourraient perdre leur goût et leur texture ou encore devenir pleins d'eau et immangeables. Ce sont le céleri (sauf les feuilles), le concombre, la courgette, la laitue, la pomme de terre, la tomate fraîche, le radis et le chou vert.

D'autres légumes peuvent être congelés, mais se conservent bien au froid. Ce sont les grosses betteraves et carottes, le panais, le navet, le raifort, le rutabaga, le chou rouge et le topinambour.

ÉTAPES DE CONGÉLATION

1. Nettoyer et parer les légumes.

2. Blanchir (ou cuire) les légumes puis les refroidir dans l'eau froide pour arrêter la cuisson.

3. Égoutter à fond les légumes en les asséchant sur un linge ou du papier absorbant.

4. Mettre les légumes dans les sacs de plastique (ou, à la rigueur des feuilles d'aluminium). Éviter le papier ciré ou le cellophane de même que les pots qui, au froid, deviennent plus cassants. Ne pas trop remplir les sacs du fait qu'en gelant les légumes prennent plus d'espace. Sceller les sacs en éliminant le plus d'air possible (utiliser de préférence un ensacheur pour emballage sous vide).

5. Identifier le produit congelé et inscrire la date de mise au congélateur; on peut aussi dresser un inventaire de ce qu'on entrepose au congélateur et de ce qu'on en retire. On peut ainsi s'assurer de ne pas trop congeler un légume au détriment d'un autre.

Au moment d'utiliser les légumes, ne les sortir du congélateur qu'à l'instant de les mettre dans l'eau bouillante salée. Ne les cuire que le temps nécessaire pour qu'ils soient tendres tout en restant croquants.

Une fois par année au moins, faire le ménage du congélateur en jetant les produits périmés.

Ne jamais ouvrir le congélateur pendant une panne d'électricité.

Les légumes congelés perdent moins d'éléments nutritifs que ceux mis en conserve ou cuits et marinés, même s'ils perdent eux aussi une partie de leurs vitamines (A et C surtout).

Pour les détails, consulter le Tableau I.

Quelques autres méthodes de conservation des légumes

SÉCHAGE

Bien qu'on puisse sécher une grande variété de légumes, les seuls qui méritent ce traitement sont, à mon avis, les champignons (voir dans Conserve de champignons, p. 53) et les petits piments forts (attachés en paquets d'une douzaine puis placés dans un endroit frais et ventilé à l'abri du soleil). Si le four n'a pas de circulation d'air, laisser la porte entrouverte. Garder les haricots dans des sacs de plastique hermétiquement fermés et les garder dans un endroit frais et sec, à l'abri de la lumière. On peut aussi entreposer ces sacs au congélateur. Laisser tremper les haricots 24 heures en eau froide avant de les cuire.

CONSERVES AU SEL

On conservait ainsi autrefois un certain nombre de légumes (chou, concombres, champignons, haricots, etc.). Mais comme il s'agit d'une méthode exigeant beaucoup de temps et d'espace, je n'en parle pas davantage. À titre de curiosité, je donne la recette typique suivante tirée du *Guide de la cuisine traditionnelle acadienne* de Marielle Boudreau et Melvin Gallant (Stanké, 1980) : « Légumes salés : on conservait en saumure dans des grands pots de grès, appelés *croques,* certains légumes dont le chou, le concombre et les *gousses vartes*. Il suffit de mettre une mince couche de gros sel entre les rangs de légumes et de mettre un poids dessus afin que les légumes prennent bien la saumure. Avant de les manger, il faut les faire dessaler à l'eau. »

CONSERVATION DANS L'HUILE OU LA GRAISSE

Quoique cette méthode s'applique surtout à la conservation des viandes (le classique confit d'oie, par exemple), quelques légumes s'y prêtent. Ce sont les épinards, l'oseille, les poireaux, le céleri et les tomates en coulis (on pourrait essayer la méthode avec les jeunes pousses d'ortie). Ces conserves serviront ensuite dans les soupes et les sauces.

1. Pour les légumes à feuilles tendres (épinard, oseille ou autres), les nettoyer à fond puis les faire réduire complètement à la marguerite. Les égoutter puis les passer au tamis (ou au mélangeur) pour en faire une purée. Placer la purée dans une marmite propre, saler et cuire à feu doux en remuant constamment à la cuillère en bois. Quand la purée a épaissi, la placer dans des pots petits ou moyens de verre ou de grès, couvrir d'un linge et laisser refroidir 24 heures. Couvrir alors la purée de 2 cm (¾ de po) d'huile d'olive de qualité (ou de saindoux fondu), puis couvrir le pot d'un papier sulfurisé ou graissé qu'on ficelle autour. Cette purée est excellente (avec de l'ail broyé) avec les pâtes italiennes genre fettuccinis (on pourrait probablement conserver le pesto de la même manière).

2. Pour les légumes à feuilles ou à côtes plus coriaces (poireau, céleri), les nettoyer, parer et couper assez finement. Les étaler sur une plaque puis les saupoudrer de gros sel et laisser dégorger toute la nuit. Entasser les légumes dans les pots et terminer par une couche de gros sel. Placer une étamine au-dessus du pot et verser à travers 2 cm (¾ de po) d'huile d'olive ou de saindoux fondu. Finir comme la méthode précédente.

3. Pour les tomates, les blanchir, les refroidir dans l'eau froide et les peler. Cuire ensuite avec de l'ail et du basilic jusqu'à ce qu'elles soient tendres. Réduire en purée et mettre dans une marmite. Assaisonner au goût (sel, poivre et sucre) et cuire à feu doux sans cesser de remuer. Quand la purée a épaissi, la mettre en pots et la laisser refroidir 24 heures. Couvrir alors de 2 cm (¾ de po) d'huile d'olive de qualité puis couvrir le pot d'un papier sulfurisé ou graissé qu'on ficelle autour.

Ces conserves doivent être gardées dans un endroit très frais et à l'abri de toute lumière.

ENTREPOSAGE DES LÉGUMES FRAIS EN CHAMBRE FROIDE

L'important, dans la conservation des légumes frais, c'est qu'ils soient entreposés avec le maximum de soins dans la manipulation (cueillette et nettoyage) et que l'endroit où on les garde soit sans lumière, frais, sec et bien aéré de même que maintenu, sauf pour les tomates, à une température de 0 °C (32 °F). Il est aussi important de ne garder que des légumes intacts de tout défaut. Il convient également d'éviter les empilements et d'inspecter de temps à autre les légumes entreposés.

Se conservent plus ou moins longtemps (voir aussi Tableau III) :

Ail : laisser sécher les gousses à l'air et au soleil quelques jours, puis les tresser en chapelets. Les accrocher ensuite dans un lieu frais et bien aéré. L'ail rose se conserve plus longtemps que le blanc.

Betteraves : les parer à l'aide d'un couteau inoxydable. Elles se conservent sous le sable ou paraffinées. Les feuilles sont cuites comme celles de l'épinard.

Carottes : récoltées par temps frais et nuageux, les carottes mûres parées se conservent plus longtemps sous le sable. Les feuilles peuvent être employées dans les herbes salées ou comme assaisonnement.

Céleri : mis dans l'eau glacée dès sa cueillette, le céleri peut se conserver (feuilles comprises) environ 3 mois dans des sacs de plastique.

Navets : ils se conservent bien paraffinés. On peut laisser une partie de la récolte en terre pour le printemps suivant. Les feuilles sont comestibles.

Oignons : récoltés à maturité et attachés en bottes, ils peuvent se conserver de 6 à 8 mois. Les garder accrochés dans un lieu sec et aéré.

Panais : procéder comme pour les carottes. On peut laisser une partie de la récolte en terre pour le printemps suivant.

Poireaux : une fois cueillis et parés, les mettre dans l'eau glacée. Les laisser sécher avant de les entreposer. Ils se conservent aussi très bien sous le sable.

Pommes de terre : les récolter par temps couvert 2 semaines après la mort des tiges. Ne pas les laisser exposées aux rayons du soleil, qui provoquent l'accumulation de solanine dans les peaux. Les faire sécher avant de les entreposer. Très sujettes à la pourriture, elles doivent être fréquemment examinées.

Raifort : comme la plante est vivace, ne prélever que ce qu'on prévoit employer. Les racines se conservent mieux cirées.

Salsifis : procéder comme pour les carottes. Manipuler avec grand soin, car la racine noircit dès qu'elle est meurtrie. On peut garder une partie de la récolte en terre pour le printemps suivant (les légumes laissés en terre doivent être cueillis dès que la terre peut se travailler au printemps, car ils deviennent alors rapidement ligneux).

Tomates : celles-ci peuvent se conserver de 2 à 3 semaines, à 18 °C (65 °F). On les cueille vertes (mais assez grosses), exemptes de tout défaut puis on les enveloppe individuellement dans du papier journal. Elles sont ensuite empilées dans des boîtes de carton ou de bois.

Conserves

Conserve d'asperges

Couper les tiges des asperges à une longueur égale.
Les attacher en paquets de 6, puis les blanchir de 2 à
3 minutes. Les refroidir dans l'eau froide, les égoutter
et les placer pointe en bas dans les bocaux. Couvrir
d'eau, mettre 1 c. à café (à thé) de sel par pot de 1 litre
(4 tasses) et stériliser 2 heures (ou 35 minutes sous
pression).

Conserve d'aubergines

Choisir de petites aubergines, puis les blanchir dans
l'eau salée de 3 à 4 minutes. Refroidir dans l'eau froide,
égoutter et peler. Couper en 4 ou 8 morceaux sur la
longueur, puis placer dans les bocaux sans les tasser.
Couvrir d'eau et mettre 1 c. à café (à thé) de sel par pot
de 1 litre (4 tasses). Stériliser les pots pendant 1 heure
(ou 20 minutes sous pression).

Conserve de champignons

Avec la congélation (voir Tableau I), le séchage est la meilleure méthode de conservation des champignons. Elle s'applique aux morilles et aux chanterelles (entières ou coupées en deux si elles sont trop grosses), aux trompettes de la mort et aux marasmes (entiers), aux bolets à chair ferme, aux psalliotes (ou champignons de couche) (ces deux derniers coupés en lamelles), etc.

Pour sécher les champignons, il suffit de les placer sur des claies d'osier ou de les enfiler en chapelets et de les suspendre ; dans un cas comme dans l'autre, les champignons doivent être mis dans un lieu aéré, frais et sec, en évitant toutefois de les placer au soleil. Une fois bien séchés, on les garde dans des sacs de papier ou de plastique. Avant de les utiliser, on doit d'abord les faire tremper dans l'eau froide pendant 24 heures.

Il existe d'autres manières de conserver les champignons (dans le sel, l'huile ou le vinaigre), mais ils perdent ainsi souvent leur texture, leur parfum et leur goût. Seuls les champignons de couche devraient être mis en conserve (voir Tableau II).

Conserve de haricots

Parer les haricots, puis les couper en morceaux de 2,5 cm (1 po) (s'ils sont jeunes, les laisser entiers). Les blanchir 3 minutes, puis les refroidir dans l'eau froide. Mettre en pots en comptant 1 c. à café (à thé) de sel par pot de 1 litre (4 tasses). Stériliser 2 heures (ou 35 minutes sous pression).

Conserve de jus de tomate

2 paniers de tomates
2 pieds de céleri
3 poivrons verts
2 oignons
460 g (2 tasses) de cassonade
Sel et poivre au goût

Parer et couper les légumes, puis les cuire 30 minutes. Retirer du feu et laisser tiédir avant de les passer au mélangeur. Remettre le jus obtenu dans la marmite, ajouter la cassonade, du sel et du poivre au goût. Ramener à ébullition puis couler dans les pots et placer les couvercles. Stériliser 2 heures (ou 30 minutes sous pression).

Conserve de maïs en grains

Blanchir les épis 15 minutes, puis les refroidir dans l'eau froide. Égrener à l'aide d'un bon couteau. Mettre en pots de 500 ml (2 tasses) et couvrir le maïs d'eau bouillante salée (à raison de ½ c. à café (à thé) de sel par pot). Placer les couvercles puis stériliser pendant 3 heures (ou 40 minutes sous pression).

Conserve de pâte de tomates

**3,2 kg (7 lb) de tomates donnent
environ 800 g (2 ¾ tasses) de pâte**

Tomates bien mûres (italiennes de préférence)
Sel
Feuilles de basilic (facultatif)

Couper les tomates en quartiers et jeter toutes les parties vertes ou abîmées. Laisser reposer 30 minutes. Couvrir la marmite et laisser mijoter 20 minutes. Passer le tout au chinois. Mettre la pulpe et le jus obtenus dans un sac en étamine et laisser égoutter 1 heure. Cuire ensuite la pulpe dans une marmite à feu doux en remuant souvent pendant 40 minutes ou jusqu'à ce que la pâte soit très épaisse. Verser dans des petits pots ou des plats de plastique, ajouter un peu de sel et, si désiré, couvrir de 2 ou 3 feuilles de basilic. Congeler les plats ou stériliser les pots couverts pendant 2 heures (ou 30 minutes sous pression).

Conserve de petits pois

Écosser les pois, blanchir 3 minutes et refroidir dans l'eau froide. Égoutter et mettre en pots de 500 ml (2 tasses). Couvrir d'eau en ajoutant ½ c. à thé (à café) de sel par pot. Placer les couvercles et stériliser 3 heures (ou 40 minutes sous pression).

Conserve de poivrons rouges

Préchauffer le gril du four. Ranger les poivrons entiers sur une plaque légèrement huilée. Faire noircir la peau en les retournant à quelques reprises, puis les retirer du four. Laisser tiédir, puis peler après avoir coupé les poivrons en quatre. Couper en larges lanières et mettre dans des petits pots. Porter un peu de vinaigre à ébullition, y dissoudre un peu de sel puis en couvrir les poivrons. Bien mélanger afin qu'ils baignent complètement dans le vinaigre. Couvrir et garder au froid. Cette conserve peut se consommer telle quelle ou être employée dans une recette qui demande des poivrons. On peut aussi les conserver dans une bonne huile d'olive (vierge et pressée à froid) sans cuire celle-ci. (Voir aussi Antipasto de poivrons rouges, p. 147)

Conserve de têtes-de-violon

Nettoyer les têtes-de-violon (crosses de fougère-à-l'autruche) dans plusieurs eaux froides pour les débarrasser le plus possible de leurs écailles rouillées. Blanchir ensuite 2 minutes, refroidir dans l'eau froide et finir de nettoyer les pousses. Mettre en pots de 500 ml (2 tasses) en ajoutant ½ c. à café (à thé) de sel par pot. Placer les couvercles et stériliser pendant 2 heures (ou 35 minutes sous pression).

Conserve de tomates entières

Prendre de belles grosses tomates mûres, les blanchir dans l'eau bouillante 3 minutes, puis les refroidir dans l'eau froide. Peler les tomates, puis les réduire en purée en les faisant cuire 20 minutes. Choisir ensuite de petites tomates mûres mais fermes, les blanchir et les refroidir dans l'eau froide. Peler et mettre en pots. Couvrir les tomates de la purée en ajoutant un peu de sucre et 1 c. à café (à thé) de sel par pot de 1 litre (4 tasses). Placer les couvercles et stériliser les pots pendant 2 heures (ou 30 minutes sous pression). On peut parfumer les tomates avec une herbe au goût (basilic, origan, thym).

Chutneys
et relishs

Chutney à la rhubarbe

Donne 3 pots de 250 ml (1 tasse) environ

875 g (7 tasses) de rhubarbe,
en morceaux de 1 cm (½ po)
1 gros oignon, haché
250 ml (1 tasse) de vinaigre
250 g (1 ¼ tasse) de sucre
¾ de c. à café (à thé) de sel
1 c. à café (à thé) de gingembre moulu
1 c. à café (à thé) de cannelle moulue
¼ de c. à café (à thé) de clou de girofle moulu
¼ de c. à café (à thé) de piment de la Jamaïque moulu
1 pincée de poivre de Cayenne
1 c. à café (à thé) d'épices pour marinades

Dans une marmite, mélanger la rhubarbe, l'oignon et le vinaigre. Cuire environ 20 minutes. Ajouter le reste des ingrédients et cuire 40 minutes en remuant souvent (surtout en fin de cuisson). Mettre en pots selon la méthode à chaud et sceller.

Chutney à l'ananas

Donne 2 litres (8 tasses)

750 ml (3 tasses) de vinaigre de cidre
600 g (3 tasses) de sucre
1,5 kg (8 ½ tasses) d'ananas frais, en dés
1 c. à café (à thé) de flocons de piment fort
3 gousses d'ail, broyées
2 c. à soupe de gingembre frais, râpé
1 c. à soupe de gros sel
160 g (1 tasse) de raisins secs
120 g (1 tasse) d'amandes mondées, hachées

Dans une marmite, mélanger le vinaigre et le sucre. Ajouter le reste des ingrédients et bien remuer. Cuire 2 heures en remuant souvent (surtout en fin de cuisson). Mettre en pots selon la méthode à chaud et sceller. Excellent avec le jambon chaud.

Chutney au citron

Donne 1,5 litre (6 tasses)

1 c. à soupe de graines de cumin
1 c. à soupe de graines de fenouil
1 c. à soupe de graines de moutarde
1 c. à soupe de graines de fenugrec
375 ml (1 ½ tasse) d'huile de moutarde
5 c. à soupe de sel
3 c. à soupe de poivre moulu grossièrement
2 c. à soupe de poivre de Cayenne
¾ de c. à café (à thé) de curcuma moulu
1,5 kg (3 lb) de gros citrons non pelés,
en tranches fines
6 piments jalapenos, hachés grossièrement

Moudre toutes les graines. Dans une marmite, chauffer l'huile à feu doux, puis retirer du feu. Faire revenir rapidement les graines moulues, le sel, le poivre, le poivre de Cayenne et le curcuma. Ajouter les citrons et les piments. Bien mélanger et mettre en pots. Fermer les bocaux et stériliser 1 heure (ou 20 minutes sous pression). Servir avec viandes, poisson et pétoncles braisés.

Chutney aux abricots

250 g (½ lb) d'abricots séchés,
mis à tremper toute la nuit
500 g (1 lb) de pommes, hachées
1 oignon, haché
2 c. à café (à thé) de zeste de citron, râpé
2 c. à soupe de jus de citron
1 c. à café (à thé) de sel
1 litre (4 tasses) de Vinaigre épicé au choix
(voir 3 choix de recettes, pages 164)
400 g (2 tasses) de sucre blanc ou de cassonade

Dans une grande marmite, laisser mijoter tous les ingrédients, sauf le sucre, environ 45 minutes. Ajouter le sucre et bien le dissoudre. Laisser mijoter 20 minutes en remuant souvent (surtout en fin de cuisson). Mettre en pots selon la méthode à chaud et sceller.

Chutney aux fruits

1 kg (2 lb) d'abricots, dénoyautés et hachés
1 kg (2 lb) de pommes à cuire, pelées,
épépinées et hachées
4 pêches, pelées, dénoyautées et hachées
2 oignons moyens
240 g (1 ½ tasse) de raisins secs
4 à 5 c. à soupe de gingembre frais, pelé et haché
¾ de c. à café (à thé) de muscade râpée
¾ de c. à café (à thé) de piment de la Jamaïque moulu
¾ de c. à café (à thé) de moutarde sèche
Le zeste de 1 citron, râpé
Le zeste râpé et le jus de 2 oranges
750 ml (3 tasses) de vinaigre de vin blanc
400 g (2 tasses) de sucre
520 g (2 ¼ tasses) de cassonade

Dans une grande marmite, mélanger les fruits, les oignons, les raisins secs, les épices, le zeste de citron, le zeste et le jus d'orange et 500 ml (2 tasses) de vinaigre. Laisser mijoter pendant 1 h à 1 h 30 en remuant souvent jusqu'à ce que la texture soit bien tendre. Incorporer le reste des ingrédients et laisser mijoter de 40 à 50 minutes, jusqu'à ce que le chutney soit très épais. Remplir les pots stérilisés chauds, éliminer les bulles d'air et sceller.

Chutney aux groseilles à maquereau

୬ଡ଼ର

250 g (½ lb) d'oignons, hachés
2 kg (4 lb) de groseilles à maquereau,
équeutées aux deux bouts
400 g (2 ½ tasses) de raisins secs
600 g (3 tasses) de sucre
1 c. à soupe de sel
2 c. à café (à thé) de gingembre moulu
1 c. à café (à thé) de poivre de Cayenne
680 ml (2 ¾ tasses) de vinaigre

Cuire les oignons dans l'eau jusqu'à ce qu'ils soient tendres. Égoutter et mettre dans une marmite avec le reste des ingrédients. Cuire jusqu'à épaississement en remuant souvent (surtout en fin de cuisson). Servir avec le poisson grillé ou le porc rôti.

Chutney aux mangues

༄༅

Donne 1 litre (4 tasses) environ

3 mangues mûres fermes, pelées, coupées
en deux et dénoyautées
250 ml (1 tasse) de jus de mangue ou
de pamplemousse rose
125 ml (½ tasse) de jus de citron
4 gousses d'ail
1 morceau de gingembre frais de 2,5 cm (1 po)
200 g (1 tasse) de sucre
1 c. à café (à thé) de coriandre moulue
½ c. à café (à thé) de gingembre moulu
¼ de c. à café (à thé) de moutarde sèche
¼ de c. à café (à thé) de poivre de Cayenne
2 c. à soupe de petits piments forts rouges, broyés
40 g (½ tasse) d'amandes mondées, en tranches fines

Couper les mangues en cubes de 1 cm (½ po). Déposer dans une marmite avec les jus de mangue et de citron. Cuire environ 8 minutes en remuant souvent. Transvider dans un bol à l'aide d'une cuillère à égoutter. Au mélangeur, réduire en purée 125 ml (½ tasse) du jus de cuisson, l'ail et le gingembre frais. Verser dans le jus de cuisson. Incorporer le sucre, la coriandre, le gingembre moulu, la moutarde et le poivre de Cayenne. Laisser mijoter 10 minutes en remuant souvent. Ajouter les mangues et les piments et cuire 12 minutes en remuant sans cesse. Incorporer les amandes. Mettre en pots et éliminer les bulles d'air. Fermer les couvercles et stériliser pendant 1 heure (ou 20 minutes sous pression). Servir avec les côtelettes et le gigot d'agneau.

Chutney aux pêches

Donne 375 ml (1 ½ tasse)

960 g (6 tasses) de pêches, pelées et hachées
480 g (4 tasses) de pommes, épépinées,
pelées et hachées
320 g (2 tasses) de raisins secs
920 g (4 tasses) de cassonade
2 c. à café (à thé) de cannelle moulue
1 c. à café (à thé) de clou de girofle moulu
1 c. à café (à thé) de piment de la Jamaïque moulu
2 c. à café (à thé) de sel
⅛ de c. à café (à thé) de poivre noir
375 ml (1 ½ tasse) de vinaigre de cidre

Dans une marmite, mélanger tous les ingrédients et
cuire environ 1 heure en remuant souvent (surtout
en fin de cuisson). Mettre en pots selon la méthode à
chaud et sceller.

Chutney aux pommes

2 kg (4 lb) de pommes
480 g (3 tasses) de raisins secs
4 oignons, hachés
1 petit piment fort (facultatif)
1 c. à soupe de graines de moutarde
3 c. à soupe de zeste de citron, haché
2 c. à café (à thé) de gingembre moulu
1 litre (4 tasses) de vinaigre
1 kg (5 tasses) de cassonade

Dans une marmite, cuire tous les ingrédients en remuant jusqu'à consistance assez épaisse (surtout en fin de cuisson). Mettre en pots selon la méthode à chaud et sceller.

Chutney aux prunes

2,25 kg (5 lb) de prunes, dénoyautées et hachées
1,6 kg (3 ½ lb) de pommes à cuire, évidées et hachées
3 gros oignons, hachés
1 c. à soupe de piment de la Jamaïque moulu
1 c. à soupe de clou de girofle moulu
1 c. à soupe de gingembre moulu
Sel au goût
1,8 kg (7 ¾ tasses) de cassonade
¼ de c. à café (à thé) de poivre de Cayenne
750 ml (3 tasses) de vinaigre de malt ou
de vinaigre de cidre

Dans une marmite, cuire tous les ingrédients à feu doux jusqu'à épaississement en remuant souvent (surtout en fin de cuisson). Verser dans les pots stérilisés et éliminer les bulles d'air. Sceller et garder au frais.

Chutney aux tomates et à l'ail

625 g (1 ¼ lb) de tomates, blanchies, pelées et hachées
2 piments jalapenos, émincés
1 c. à soupe de gingembre frais, pelé et haché
80 ml (⅓ de tasse) d'huile d'olive
6 petits piments forts rouges entiers
½ c. à café (à thé) de graines de cumin
¼ de c. à café (à thé) de graines de fenugrec
½ c. à café (à thé) de moutarde sèche
35 g (¼ de tasse) de gousses d'ail, en tranches fines
Sel au goût

Dans un grand bol, mélanger les tomates, les jalapenos et le gingembre. Dans une grande marmite, chauffer l'huile doucement et faire revenir les piments rouges 2 minutes. Baisser le feu, puis ajouter le cumin et le fenugrec. Cuire 1 minute. Incorporer la moutarde et bien mélanger. Ajouter l'ail et cuire 2 minutes. Ajouter la préparation de tomates et cuire 30 minutes en remuant souvent. Saler au goût. Cuire jusqu'à ce que l'huile se sépare du chutney. Garder au froid (ou pas plus de 1 an au congélateur). Servir à température ambiante avec les viandes grillées, mais ne pas manger les petits piments rouges qui sont extrêmement forts.

Chutney aux tomates vertes

༄

12 tomates vertes moyennes
6 oignons
2 poivrons verts
1 poivron rouge
2 c. à soupe de graines de moutarde
1 c. à soupe de sel
800 g (4 tasses) de sucre blanc
750 ml (3 tasses) de vinaigre
6 pommes à cuire

Hacher les légumes et les cuire avec le reste des ingrédients, sauf les pommes, jusqu'à ce qu'ils soient tendres. Parer et hacher les pommes, puis les ajouter 15 minutes avant la fin de la cuisson. Mettre en pots selon la méthode à chaud et sceller.

Chutney classique sans cuisson

༄

Donne 750 ml (3 tasses)

2 grosses tomates bien mûres
1 c. à soupe de cassonade
1 gros poivron vert, en dés
1 gros poivron rouge, en dés
1 oignon, haché finement
Le zeste de 1 citron, râpé
250 ml (1 tasse) de jus de citron frais
1 c. à café (à thé) de poudre de cari

Hacher grossièrement les tomates sans les peler et les couvrir de cassonade. Mélanger délicatement avec les poivrons et l'oignon. Dans un bol, mélanger le zeste et le jus de citron avec le cari. Verser sur les légumes et bien mélanger. Laisser reposer 1 heure en remuant à quelques reprises. Garder au froid. Excellent avec viandes grillées, rôti de porc et caris indiens.

Chutney « ratatouille »

1 kg (2 lb) de tomates mûres, blanchies, pelées et hachées
500 g (1 lb) d'oignons d'Espagne, hachés
500 g (1 lb) de courgettes, en tranches fines
1 gros poivron vert, haché grossièrement
1 gros poivron rouge, haché grossièrement
1 aubergine, en dés
2 grosses gousses d'ail, broyées
1 c. à soupe de sel
1 c. à soupe de poivre de Cayenne
1 c. à soupe de paprika
1 c. à soupe de coriandre moulue
625 ml (2 ½ tasses) de vinaigre de malt
300 g (1 ½ tasse) de sucre

Dans une grande marmite, mélanger tous les ingrédients, sauf le vinaigre et le sucre. Couvrir et laisser mijoter, en remuant de temps à autre, jusqu'à ce que les légumes rendent leur eau. Dès que la préparation arrive à ébullition, retirer le couvercle et laisser mijoter pendant 1 h à 1 h 30. Ajouter le vinaigre et le sucre. Cuire 1 heure ou jusqu'à épaississement en remuant souvent (surtout en fin de cuisson). Mettre en pots selon la méthode à chaud et sceller.

Relish au maïs

1 litre (4 tasses) de vinaigre de cidre
200 g (1 tasse) de sucre
1 c. à café (à thé) de sel
1 ½ c. à soupe de moutarde sèche
1 c. à café (à thé) de curcuma moulu
500 g (1 lb) de chou pommé blanc, haché finement
2 oignons, hachés finement
2 poivrons verts, hachés finement
2 poivrons rouges, hachés finement
1 kg (2 lb) d'épis de maïs, égrenés
2 c. à soupe de farine

Dans une marmite, porter à ébullition le vinaigre, le
sucre, le sel et les épices. Ajouter le chou, les oignons,
les poivrons et les grains de maïs. Porter à ébullition et
incorporer la farine délayée dans un peu du liquide de
cuisson. Laisser mijoter 45 minutes ou jusqu'à ce que
la relish soit très épaisse en remuant souvent (surtout
en fin de cuisson). Mettre en pots selon la méthode à
chaud et sceller.

Relish aux betteraves
sans cuisson

400 g (4 tasses) de chou, haché finement
560 g (4 tasses) de betteraves, cuites et
hachées finement
400 g (2 tasses) de sucre blanc
1 c. à soupe de sel
1 c. à café (à thé) de poivre
140 g (1 tasse) de raifort frais, râpé
Vinaigre bouillant pour couvrir

Dans une marmite, mélanger tous les ingrédients, sauf le vinaigre. Chauffer le vinaigre dans une casserole. Verser sur les légumes et bien mélanger. Mettre en pots et sceller. Garder au frais.

Relish aux concombres

20 concombres moyens, hachés
125 g (½ tasse) de gros sel
4 gros oignons, hachés finement
800 g (4 tasses) de sucre
1 litre (4 tasses) de vinaigre
1 ½ c. à café (à thé) de curcuma moulu
1 ½ c. à café (à thé) de clou de girofle moulu
2 c. à soupe de graines de moutarde
½ c. à soupe de graines de céleri
1 poivron rouge, haché

Saupoudrer les concombres de gros sel et laisser reposer 4 heures. Bien rincer à l'eau froide et égoutter avec soin. Dans une marmite, cuire les concombres avec le reste des ingrédients 25 minutes ou jusqu'à l'obtention de la consistance désirée. Mettre en pots selon la méthode à chaud et sceller.

Relish aux concombres et aux poivrons

༄༅

Donne 1,25 litre (5 tasses) environ

520 g (4 tasses) de concombres, hachés finement
2 gros poivrons verts, hachés finement
1 gros poivron rouge, haché finement
1 gros poivron jaune, haché finement
120 g (1 tasse) de céleri, haché finement
1 petit piment fort frais, haché finement (facultatif)
60 g (¼ de tasse) de gros sel
Eau froide
700 g (3 ½ tasses) de sucre blanc
500 ml (2 tasses) de vinaigre
1 c. à soupe de graines de moutarde
1 c. à soupe de graines de céleri

Dans un grand plat, mélanger les légumes, puis les couvrir de sel et d'eau froide. Laisser reposer de 3 à 4 heures. Égoutter, rincer à l'eau froide, puis égoutter de nouveau avec soin. Dans une grande marmite, mélanger tous les ingrédients et cuire de 10 à 15 minutes ou jusqu'à ce que les légumes soient transparents. Mettre en pots selon la méthode à chaud et sceller.

Relish aux poivrons

Donne 3 litres (12 tasses)

1,5 kg (3 lb) de poivrons rouges
1,5 kg (3 lb) de poivrons verts
1,5 kg (3 lb) d'oignons
Eau bouillante
1 litre (4 tasses) de vinaigre
200 g (1 tasse) de sucre
1 c. à café (à thé) de graines de moutarde
1 c. à soupe de moutarde sèche
1 c. à soupe de graines de céleri
2 c. à soupe de sel

Parer les légumes, puis les hacher grossièrement. Déposer dans une grande marmite et couvrir d'eau bouillante. Laisser reposer 5 minutes. Égoutter avec soin, puis remettre dans la marmite avec le reste des ingrédients. Cuire de 10 à 15 minutes en remuant souvent. Mettre en pots selon la méthode à chaud et sceller.

Relish aux tomates sans cuisson

Donne 1 litre (4 tasses)

12 tomates bien mûres
1 gros oignon, émincé
4 branches de céleri, hachées finement
1 poivron rouge, haché finement
100 g (½ tasse) de sucre
1 c. à soupe de graines de moutarde
125 ml (½ tasse) de vinaigre de cidre
Quelques gouttes de tabasco (facultatif)

Blanchir les tomates, les refroidir dans l'eau froide, puis les peler. Laisser égoutter et hacher. Ajouter le reste des ingrédients. Bien mélanger et verser dans les pots stérilisés. Laisser reposer 2 jours avant de consommer. Conserver au froid.

Relish aux tomates vertes

～ゟ～

8 pommes à cuire
8 tomates vertes moyennes
1 poivron vert
1 poivron rouge
2 oignons moyens
160 g (1 tasse) de raisins secs
1,25 litre (5 tasses) de vinaigre
2 c. à soupe de sel
700 g (3 ½ tasses) de sucre
1 c. à café (à thé) de clou de girofle moulu
1 c. à café (à thé) de cannelle moulue

Hacher les pommes et les légumes parés. Déposer dans une marmite avec le reste des ingrédients. Cuire jusqu'à épaississement en remuant souvent (surtout en fin de cuisson). Mettre en pots selon la méthode à chaud et sceller.

Relish crue

∽γ∾

12 oignons
1 gros chou
8 carottes
4 poivrons verts
4 poivrons rouges
Gros sel
750 ml (3 tasses) de vinaigre blanc
1,2 kg (6 tasses) de sucre
2 c. à café (à thé) de graines de céleri
2 c. à café (à thé) de graines de moutarde

Hacher tous les légumes parés. Disposer en couches successives dans un grand plat en les saupoudrant au fur et à mesure de gros sel. Couvrir et laisser reposer 2 heures, puis égoutter avec soin. Mélanger avec le reste des ingrédients. Remplir les pots et sceller. Laisser reposer au moins 2 semaines avant d'utiliser. Garder au frais.

Relish d'automne

5 tomates vertes
2 poivrons rouges
3 oignons
10 concombres moyens
2 poivrons verts
60 g (¼ de tasse) de gros sel
1 litre (4 tasses) de vinaigre
800 g (4 tasses) de sucre

Hacher tous les légumes. Mettre dans un grand plat, couvrir de sel et laisser reposer toute la nuit. Le lendemain, égoutter les légumes et les cuire doucement dans le vinaigre et le sucre environ 30 minutes. Mettre en pots selon la méthode à chaud et sceller.

Marinades, piccalillis et chows-chows

Achards

ᕯᕮ

1 petit chou-fleur, défait en petits bouquets
250 g (½ lb) de chou vert, en tranches fines
250 g (½ lb) de haricots verts, en tranches fines
250 g (½ lb) de carottes, en tranches fines
250 g (½ lb) de céleri, en tranches fines
60 g (⅔ de tasse) de gingembre frais
4 gousses d'ail
250 g (½ lb) d'oignons, en tranches fines
60 g (¼ de tasse) de gros sel
10 c. à soupe d'huile d'olive
1 c. à soupe de vinaigre
1 c. à café (à thé) de curcuma moulu
Un peu de piment fort frais, émincé (facultatif)

Blanchir les légumes quelques secondes dans l'eau bouillante salée. Égoutter avec soin et disposer sur une plaque. Laisser sécher au soleil ou dans le four préchauffé à 120 °C (250 °F) gardé entrouvert. Piler le gingembre dans un mortier, puis le mélanger tour à tour dans un grand bol avec l'ail, les oignons et le sel. Chauffer l'huile à feu doux et ajouter le vinaigre et le curcuma. Verser sur la préparation d'oignons et laisser reposer. Lorsque les légumes sont bien desséchés, les mélanger avec la sauce et le piment. Mettre en pots et attendre au moins 8 jours avant de consommer.

Ail des bois mariné

Ail des bois
Vinaigre
Poivre en grains
Graines de moutarde
Clous de girofle
Feuilles de laurier

Débarrasser les bulbes d'ail de leurs radicelles et de leurs feuilles (qu'on réserve). Cuire environ 10 minutes dans une partie d'eau et deux parties de vinaigre. Répartir dans les pots stérilisés et couvrir du liquide de cuisson en ajoutant des épices au goût. Sceller. On peut faire une soupe ou un beurre à l'ail exquis avec les feuilles réservées.

Betteraves marinées I

~~~

10 grosses betteraves
(garder au moins 5 cm [2 po] de tige)
375 ml (1 ½ tasse) d'eau
375 ml (1 ½ tasse) de vinaigre
400 g (2 tasses) de sucre

Dans un sachet :
1 c. à soupe de cannelle moulue
1 c. à café (à thé) de clous de girofle entiers
1 c. à café (à thé) d'épices pour marinades

Cuire les betteraves dans beaucoup d'eau jusqu'à ce qu'elles soient tendres. Laisser refroidir avant de peler et de couper en tranches. Porter l'eau et le vinaigre à ébullition et y dissoudre le sucre. Ajouter les betteraves et le sachet d'épices. Laisser mijoter environ 20 minutes. Jeter le sachet. Mettre en pots selon la méthode à chaud et sceller.

Betteraves marinées II

20 betteraves moyennes
500 ml (2 tasses) de vinaigre
500 ml (2 tasses) d'eau
100 g (½ tasse) de sucre
Petits oignons blancs (facultatif)
1 c. à soupe d'épices pour marinades
Ail, grains de poivre, feuilles de laurier

Procéder comme pour la recette précédente en ajoutant à la fin dans chaque pot 1 ou 2 gousses d'ail, 4 ou 5 grains de poivre et 1 feuille de laurier. Sceller immédiatement. (Voir aussi Petites betteraves marinées, p. 118.)

Boutons d'hémérocalle confits

꙳

**L'hémérocalle, ou *lis d'un jour,* est ce lis orange
devenu sauvage au Québec. On le trouve
en abondance dans certaines régions.**

1 kg (2 lb) de boutons floraux d'hémérocalle
5 petits piments forts
5 gousses d'ail
1,25 litre (5 tasses) de vinaigre
125 ml (½ tasse) d'eau
6 c. à soupe de sel
1 c. à soupe de graines de céleri
1 c. à soupe de graines de moutarde

Laver et égoutter avec soin les boutons floraux encore
bien fermés, puis les répartir dans des bocaux de
500 ml (2 tasses). Mettre 1 petit piment et 1 gousse
d'ail dans chacun. Dans une grande casserole, porter
le reste des ingrédients à ébullition. Verser dans les
bocaux, sceller et stériliser 30 minutes (ou 10 minutes
sous pression).

Brocoli mariné à l'estragon

1,25 kg (2 ¾ lb) de brocoli, en petits morceaux
Saumure : 155 g (½ tasse) de sel de table dans
2,5 litres (10 tasses) d'eau
750 ml (3 tasses) de vinaigre de vin blanc
250 ml (1 tasse) d'eau
80 g (¼ de tasse) de sel (au besoin)
3 c. à soupe d'épices pour marinades
(mises dans un sachet)
1 bouquet d'estragon frais ou 2 c. à soupe
d'estragon séché
1 c. à soupe de grains de poivre noir

Couvrir le brocoli de saumure et laisser reposer jusqu'au lendemain. Rincer et égoutter avec soin, puis déposer dans les pots stérilisés. Dans une casserole, cuire le reste des ingrédients 10 minutes. Verser sur le brocoli en répartissant également l'estragon. Jeter le sachet. Sceller et stériliser pendant 1 heure (ou 20 minutes sous pression).

Céleri mariné

6 pieds de céleri, hachés finement
2 gros oignons, hachés finement
25 g (¼ de tasse) de moutarde sèche
5 c. à soupe de graines de moutarde
1 c. à café (à thé) de poivre noir
1 c. à soupe de sel
750 g (3 ¼ tasses) de cassonade
1 c. à café (à thé) de curcuma moulu
1 litre (4 tasses) de vinaigre

Mélanger tous les ingrédients et cuire jusqu'à ce que le céleri soit bien tendre. Mettre en pots selon la méthode à chaud et sceller.

Champignons marinés

500 g (1 lb) de champignons de Paris, en tranches
125 ml (½ tasse) de vinaigre à l'estragon
1 c. à café (à thé) de sucre
Sel

Faire tremper les champignons dans l'eau salée de 2 à 3 heures. Chauffer le vinaigre avec le sucre et un peu de sel. Ajouter les champignons et laisser mijoter 3 minutes. Mettre en pots selon la méthode à chaud et sceller.

Choux-fleurs marinés

Donne 3-4 litres (12-16 tasses)

2 gros choux-fleurs, en petits morceaux
1 litre (4 tasses) de vinaigre
1 c. à café (à thé) d'épices pour marinades
2 c. à café (à thé) de clous de girofle entiers
2 piments forts
100 g (½ tasse) de sucre
2 c. à café (à thé) de moutarde sèche

Blanchir les choux-fleurs dans une grande casserole d'eau bouillante 5 minutes. Égoutter et refroidir immédiatement dans l'eau froide. Faire bouillir le vinaigre avec les épices, les clous de girofle et les piments. Égoutter les choux-fleurs avec soin et mettre en pots. Mélanger le vinaigre avec le sucre et la moutarde, puis verser sur les légumes. Sceller immédiatement.

Chow-chow I

Donne 3 litres (12 tasses)

3,2 kg (7 lb) de tomates vertes
125 g (½ tasse) de gros sel
3 poivrons verts
300 g (3 tasses) de chou, haché finement
3 oignons
1,6 litre (6 ½ tasses) de vinaigre
400 g (2 tasses) de sucre

Dans un sachet:

1 c. à soupe de graines de céleri
1 c. à soupe de graines de moutarde
½ c. à soupe de clous de girofle entiers

Hacher grossièrement les tomates. Mélanger avec le sel et laisser reposer 30 minutes. Laisser égoutter toute la nuit dans un sac d'étamine. Le lendemain, hacher les poivrons, le chou et les oignons. Dans une marmite, déposer les tomates, tous les légumes, le vinaigre, le sucre et le sachet d'épices. Cuire à feu doux 20 minutes ou jusqu'à ce que les légumes soient tendres. Jeter le sachet. Mettre en pots selon la méthode à chaud et sceller.

Chow-chow II

400 g (14 oz) de haricots blancs secs
4 poivrons verts et rouges
1 chou-fleur moyen
500 g (1 lb) de haricots verts
240 g (1 ½ tasse) de grains de maïs
1 litre (4 tasses) de vinaigre
175 g (¾ de tasse) de cassonade
2 ½ c. à soupe de moutarde sèche
3 c. à soupe de graines de moutarde
2 c. à café (à thé) de curcuma moulu

Faire tremper les haricots toute la nuit dans l'eau froide.
Le lendemain, les cuire dans une casserole d'eau bouillante jusqu'à ce qu'ils soient tendres mais encore
croquants. Parer et couper les légumes, puis les cuire
séparément jusqu'à ce qu'ils soient tendres. Égoutter.
Dans une marmite, verser le vinaigre et y dissoudre
la cassonade et la moutarde sèche. Ajouter les graines
de moutarde et le curcuma. Porter à ébullition et cuire de
2 à 3 minutes. Ajouter les légumes et ramener à ébullition sans les cuire. Mettre en pots selon la méthode
à chaud et sceller.

Chow-chow au maïs

Donne 2 litres (8 tasses)

400 g (4 tasses) de chou vert, haché finement
460 g (4 tasses) de chou-fleur, haché finement
640 g (4 tasses) de grains de maïs (5 épis)
1 gros poivron rouge, haché finement
1 gros poivron vert, haché finement
160 g (1 tasse) d'oignons, hachés finement
2 c. à soupe de gros sel
Eau bouillante
350 g (1 ¾ tasse) de sucre
1 c. à soupe de moutarde sèche
2 c. à café (à thé) de curcuma moulu
4 c. à café (à thé) de graines de moutarde
4 c. à café (à thé) de graines de céleri
750 ml (3 tasses) de vinaigre de cidre
3 c. à soupe de fécule de maïs
60 ml (¼ de tasse) d'eau froide

Dans un grand plat, mélanger les légumes. Couvrir de gros sel et d'eau bouillante, puis laisser reposer 1 heure. Égoutter, rincer et égoutter de nouveau avec soin. Dans un grand bol, mélanger le sucre, la moutarde sèche, le curcuma, les graines de moutarde et de céleri. Ajouter le vinaigre et remuer pour faire une pâte. Dans une grande marmite, mélanger les légumes et la pâte de moutarde. Porter à ébullition et laisser mijoter 30 minutes ou jusqu'à ce que les légumes soient tendres. Délayer la fécule de maïs dans l'eau froide et verser dans la marmite. Cuire de 2 à 3 minutes. Mettre en pots selon la méthode à chaud et sceller.

Chow-chow aux tomates

3,2 kg (16 tasses) de tomates rouges
1,6 kg (8 tasses) de tomates vertes
12 oignons
2 choux moyens
1 poivron rouge
250 g (1 tasse) de gros sel
140 g (1 tasse) de raifort frais, râpé
920 g (4 tasses) de cassonade
1 c. à soupe de moutarde sèche
1 c. à soupe de graines de céleri
1 c. à café (à thé) de poivre noir
Vinaigre pour couvrir

Hacher les légumes. Mettre dans un grand plat et couvrir de gros sel. Laisser reposer toute la nuit. Le lendemain, égoutter et les mettre dans une grande marmite avec le reste des ingrédients. Couvrir de vinaigre et cuire environ 1 heure. Mettre en pots selon la méthode à chaud et sceller.

Concombres à la moutarde

~~~

Donne 2 litres (8 tasses)

1,2 kg (10 tasses) de concombres,
en cubes de 1 cm (½ po)
80 g (½ tasse) d'oignon, haché grossièrement
2 c. à soupe de gros sel
65 g (½ tasse) de farine
2 c. à café (à thé) de sel
125 g (1 ¼ tasse) de moutarde sèche
1 c. à café (à thé) de curcuma moulu
460 g (2 tasses) de cassonade
625 ml (2 ½ tasses) de vinaigre
1 c. à soupe de graines de céleri

Mélanger les légumes avec le gros sel et laisser dégorger 1 heure. Égoutter, rincer et égoutter de nouveau avec soin. Cuire les légumes dans 500 ml (2 tasses) d'eau de 10 à 15 minutes, jusqu'à ce qu'ils soient tendres. Mélanger la farine, le sel, la moutarde, le curcuma, la cassonade et 125 ml (½ tasse) de vinaigre et en faire une pâte claire. Porter le vinaigre et les graines de céleri à ébullition, puis incorporer à la pâte de moutarde. Cuire environ 5 minutes. Ajouter les légumes et porter à ébullition sans laisser cuire. Mettre en pots selon la méthode à chaud et sceller immédiatement.

Concombres mûrs marinés

ᭋ

Donne 2 litres (8 tasses)

8 à 10 gros concombres mûrs, pelés
125 g (½ tasse) de gros sel
500 ml (2 tasses) de vinaigre de cidre
400 g (2 tasses) de sucre

Dans un sachet:

2 bâtons de cannelle
1 c. à soupe de clous de girofle entiers
2 c. à soupe de baies de piment de la Jamaïque
1 c. à soupe de graines de moutarde

Couper les concombres en deux sur la longueur et épépiner. Tailler en morceaux de 2,5 cm (1 po). Couvrir de gros sel et laisser reposer jusqu'au lendemain. Égoutter, rincer et égoutter de nouveau. Porter le vinaigre à ébullition et y dissoudre le sucre. Ajouter le sachet d'épices et laisser mijoter de 5 à 8 minutes. Ajouter les concombres et cuire environ 5 minutes, jusqu'à ce qu'ils soient tendres et transparents. Jeter le sachet et mettre les concombres en pots. Ramener le vinaigre à ébullition. Verser dans les bocaux et sceller.

Tranches de concombre marinées

Donne 3-4 litres (12-16 tasses)

12 concombres
4 gros oignons
Gros sel
300 g (1 ½ tasse) de sucre
1 c. à café (à thé) d'épices pour marinades
(mises dans un sachet)
1 c. à café (à thé) de curcuma moulu
1 c. à café (à thé) de moutarde sèche
4 c. à café (à thé) de graines de moutarde
2 c. à café (à thé) de sel
1 litre (4 tasses) de vinaigre

Couper les concombres et les oignons en tranches les plus fines possible. Disposer en couches successives dans un grand plat en les saupoudrant au fur et à mesure de gros sel. Laisser dégorger toute la nuit. Le lendemain, rincer et égoutter avec soin. Mettre tous les ingrédients dans une grande marmite et cuire de 20 à 30 minutes, jusqu'à ce que les concombres soient transparents. Jeter le sachet. Mettre en pots selon la méthode à chaud et sceller.

Cornichons à l'aneth (consommation rapide)

Donne 2 litres (8 tasses)

1 kg (2 lb) de gros cornichons
2 c. à soupe de gros sel
500 ml (2 tasses) d'eau
125 ml (½ tasse) de vinaigre
2 gousses d'ail, coupées en deux
1 feuille de laurier
2 piments forts séchés
4 grains de poivre
2 branches d'aneth

Nettoyer et éponger les cornichons. Couper en biais en tranches pas trop minces. Déposer dans une passoire, couvrir de gros sel et laisser dégorger 1 heure. Dans une marmite, mélanger l'eau, le vinaigre, l'ail, le laurier, les piments et le poivre. Porter à ébullition, laisser mijoter de 2 à 3 minutes et laisser refroidir. Rincer et égoutter les cornichons avec soin. Placer l'aneth dans les pots, puis les cornichons. Couvrir du vinaigre en répartissant les condiments et sceller. Les cornichons pourront être consommés dès le lendemain. Conserver au froid.

Cornichons à l'aneth

Donne 4 litres (16 tasses)

2 kg (4 lb) de concombres à mariner de 8 à 12 cm
(3 à 5 po) de longueur
8 belles branches d'aneth frais
1,25 litre (5 tasses) de vinaigre
750 ml (3 tasses) d'eau
6 c. à soupe de gros sel

Par bocal de 1 litre (4 tasses) :

1 ou 2 gousses d'ail
1 feuille de laurier
3 ou 4 grains de poivre noir
1 petit piment fort séché (facultatif)

Laver les concombres en les brossant, les essuyer puis les laisser tremper toute la nuit dans l'eau froide. Égoutter avec soin. Déposer 2 branches d'aneth dans chaque pot et ranger les cornichons sans les tasser. Dans une grande casserole, porter le vinaigre, l'eau et le sel à ébullition, puis verser sur les cornichons. Répartir le reste des ingrédients dans les bocaux et sceller immédiatement. Attendre au moins 6 semaines avant de consommer.

Courgettes marinées (consommation rapide)

∽◦∾

Donne 2 litres (8 tasses)

1 kg (2 lb) de courgettes, en tranches fines
2 petits oignons, en tranches fines
1 petit poivron rouge, en lanières fines
4 c. à soupe de gros sel
Glaçons
375 ml (1 ½ tasse) de vinaigre
150 g (¾ de tasse) de sucre
¼ de c. à café (à thé) de curcuma moulu
1 c. à soupe de graines de moutarde
¼ de c. à café (à thé) de graines de céleri

Disposer les légumes en couches successives dans un grand plat en les saupoudrant au fur et à mesure de gros sel. Couvrir de glaçons et laisser reposer de 3 à 4 heures. Égoutter, rincer à grande eau et égoutter de nouveau. Dans une grande marmite, mélanger le vinaigre, le sucre, le curcuma et les graines de moutarde et de céleri. Porter à ébullition et ajouter les légumes. Ramener à ébullition et laisser mijoter 3 minutes (les courgettes doivent rester croquantes). Mettre en pots. Couvrir du vinaigre et des condiments et sceller. Ces marinades se conservent de 2 à 3 mois au réfrigérateur.

Feuilles de vigne marinées

ᘒᘓᕫ

1 litre (4 tasses) d'eau
2 c. à café (à thé) de sel
Feuilles de vigne entières
250 ml (1 tasse) de jus de citron

Porter l'eau à ébullition, y dissoudre le sel, puis blanchir les feuilles de vigne 30 secondes. Égoutter puis rouler les feuilles sans les serrer. Ajouter le jus de citron au liquide, porter à ébullition puis couvrir les feuilles placées dans des petits pots. Sceller et stériliser 45 minutes (ou 15 minutes sous pression).

Haricots jaunes marinés

ᘒᘓᕫ

800 g (4 tasses) de haricots jaunes,
en morceaux de 2,5 cm (1 po)
Sel
250 ml (1 tasse) de vinaigre
115 g (½ tasse) de cassonade
2 c. à soupe de farine
2 c. à soupe de moutarde sèche ou préparée
1 ½ c. à café (à thé) de graines de céleri

Blanchir les haricots dans l'eau bouillante salée de 3 à 4 minutes. Égoutter et remettre à cuire avec le vinaigre et la cassonade. Délayer la farine et la moutarde dans un peu d'eau puis ajouter cette pâte aux haricots avec les graines de céleri. Cuire 10 minutes ou jusqu'à ce que les haricots soient tendres mais encore croquants. Mettre en pots et sceller immédiatement.

Haricots verts marinés

~~~

Donne 1,5 litre (6 tasses) environ

1 kg (5 tasses) de haricots verts, en morceaux
de 2,5 cm (1 po)
250 ml (1 tasse) de vinaigre
115 g (½ tasse) de cassonade
2 c. à soupe de farine
2 c. à soupe de moutarde sèche
⅛ de c. à café (à thé) de graines de céleri

Cuire les haricots dans l'eau bouillante salée de 2 à
3 minutes et égoutter. Porter le vinaigre à ébullition et y
dissoudre la cassonade. Délayer la farine et la moutarde
dans un peu d'eau, verser dans le vinaigre et ajouter
les graines de céleri. Ajouter les haricots et cuire de 8 à
10 minutes, jusqu'à ce qu'ils soient tendres mais encore
croquants. Mettre en pots et sceller immédiatement.

Marinades de légumes

12 grosses tomates bien mûres
4 pommes acides, épépinées
3 oignons
1 pied de céleri
1 chou-fleur moyen
2 c. à soupe de gros sel
500 ml (2 tasses) de vinaigre
200 g (1 tasse) de sucre
1 c. à soupe d'épices pour marinades
(mises dans un sachet)

Hacher finement les légumes. Dans une marmite, les mélanger avec le reste des ingrédients. Laisser mijoter de 2 à 3 heures en remuant souvent (surtout en fin de cuisson). Jeter le sachet. Mettre en pots selon la méthode à chaud et sceller.

Marinades de topinambours

Donne 2 ½ litres (10 tasses) environ

1 kg (2 lb) de topinambours, pelés et
coupés en tranches fines
480 g (3 tasses) d'oignons, en tranches fines
320 g (2 tasses) de poivrons verts, hachés
1,5 litre (6 tasses) d'eau
155 g (½ tasse) de sel
6 gousses d'ail, coupées en deux
270 g (1 ⅓ tasse) de sucre
45 g (⅓ de tasse) de farine
2 c. à soupe de moutarde sèche
2 c. à café (à thé) de graines de moutarde
1 ¼ c. à café (à thé) de graines de céleri
1 c. à café (à thé) de curcuma moulu
580 ml (2 ⅓ tasse) de vinaigre de cidre
1 c. à café (à thé) de tabasco

Mélanger les légumes, l'eau, le sel et l'ail, puis laisser reposer toute la nuit. Le lendemain, mélanger dans un bol le sucre, la farine, les épices, 80 ml (⅓ de tasse) de vinaigre et le tabasco. Dans une casserole, porter le reste du vinaigre à ébullition et y dissoudre la préparation épicée. Cuire 5 minutes. Égoutter les légumes avec soin, puis les cuire dans le vinaigre 5 minutes en remuant sans cesse. Mettre en pots selon la méthode à chaud et sceller.

Marinades crues

2 choux verts moyens
4 poivrons verts
4 poivrons rouges
12 oignons moyens
8 carottes moyennes
155 g (½ tasse) de sel
1,5 litre (6 tasses) de vinaigre
1 c. à café (à thé) de graines de moutarde
1 c. à café (à thé) de graines de céleri

Parer et hacher finement les légumes. Couvrir de sel et laisser reposer 2 heures. Égoutter avec soin et mélanger avec le reste des ingrédients. Mettre en pots et sceller.

Marinades crues de canneberges

2 oranges
1 citron
2 pommes
400 g (4 tasses) de canneberges
500 g (2 ½ tasses) de sucre

Couper les oranges, le citron et les pommes en quartiers sans les peler. Hacher avec les canneberges. Bien mélanger avec le sucre et mettre en pots. Conserver au froid. Servir avec les volailles.

Marinades crues de carottes et de céleri

Donne 3 litres (12 tasses)

480 g (4 tasses) de carottes, en bâtonnets
480 g (4 tasses) de branches de céleri, en bâtonnets
500 ml (2 tasses) de vinaigre de cidre
1 litre (4 tasses) d'eau
200 g (1 tasse) de sucre
5 g (½ tasse) d'aneth frais, haché
2 c. à soupe de graines de moutarde
1 c. à soupe de sel
1 pincée de poivre de Cayenne

Parer et tailler les légumes en les mettant à mesure dans l'eau froide. Égoutter et mettre en pots. Dans une marmite, porter le reste des ingrédients à ébullition. Couvrir les légumes et sceller. Attendre au moins 1 semaine avant de les consommer. Servir comme hors-d'œuvre ou avec une salade de fruits de mer ou de poulet.

Marinades d'automne

Donne 2,5 litres (10 tasses)

320 g (2 tasses) de poivrons verts
160 g (1 tasse) de poivrons rouges
500 g (4 tasses) de concombres
320 g (2 tasses) d'oignons
800 g (4 tasses) de tomates rouges
200 g (2 tasses) de chou vert
125 g (½ tasse) de gros sel
800 g (4 tasses) de sucre
2 c. à café (à thé) de moutarde sèche
¼ de c. à café (à thé) de curcuma moulu
1 c. à café (à thé) de paprika
1,5 litre (6 tasses) de vinaigre

Hacher très grossièrement les légumes, mais plus finement le chou. Laisser un peu de vert sur les concombres. Disposer en couches successives dans un grand plat en les saupoudrant au fur et à mesure de gros sel. Couvrir le plat et laisser reposer toute la nuit. Le lendemain, égoutter avec soin et cuire avec le reste des ingrédients pendant 1 heure en remuant souvent (surtout en fin de cuisson). Mettre en pots selon la méthode à chaud et sceller.

Marinades de chou rouge

1 chou rouge, haché finement
3 c. à soupe de sel par 500 g (1 lb) de chou haché
625 ml (2 ½ tasses) de vinaigre
1 c. à soupe de cassonade
1 c. à café (à thé) d'épices pour marinades
(mises dans un sachet)

Disposer le chou en couches successives dans un grand plat en le saupoudrant au fur et à mesure de sel. Laisser reposer toute la nuit, puis rincer et égoutter. Verser le vinaigre dans une marmite et y dissoudre la cassonade. Ajouter le sachet d'épices et laisser mijoter 5 minutes. Laisser refroidir au moins 2 heures. Jeter le sachet. Remplir les pots sans presser le chou et couvrir de vinaigre. Sceller et garder au frais. Attendre 1 semaine avant de consommer. Le chou restera croquant pendant 3 mois.

Marinades de choux-fleurs et de tomates

2 choux-fleurs, en petits morceaux
750 g (1 ½ lb) de tomates, en quartiers
4 oignons, hachés grossièrement
310 g (1 tasse) de sel
1 c. à café (à thé) de moutarde sèche
1 c. à café (à thé) de gingembre moulu
1 c. à café (à thé) de poivre noir
290 g (1 ¼ tasse) de cassonade
½ c. à café (à thé) de poivre de Cayenne (facultatif)
750 ml (3 tasses) de vinaigre blanc

Disposer les légumes en couches successives dans un grand plat en les saupoudrant au fur et à mesure de sel. Laisser reposer toute la nuit. Le lendemain, rincer avec soin et égoutter. Mettre les légumes dans une marmite avec le reste des ingrédients. Laisser mijoter de 15 à 20 minutes, jusqu'à ce qu'ils soient tendres mais encore croquants. Empoter chaud et sceller.

Marinades de concombres, oignons et choux-fleurs

∽✑∾

750 g (6 tasses) de petits concombres
960 g (6 tasses) de petits oignons blancs
1 chou-fleur, en petits morceaux
4 poivrons verts, en lanières
1 poivron rouge, en lanières
155 g (½ tasse) de sel
1 litre (4 tasses) de vinaigre
800 g (4 tasses) de sucre
1 ½ c. à café (à thé) de curcuma moulu
1 ½ c. à café (à thé) de graines de céleri
2 c. à café (à thé) de graines de moutarde

Placer les légumes dans un grand plat, puis les couvrir d'eau froide et de sel. Laisser reposer 3 heures et égoutter. Porter le vinaigre à ébullition et y dissoudre le sucre. Ajouter les condiments et cuire de 2 à 3 minutes. Cuire les légumes dans le vinaigre 2 minutes. Mettre en pots selon la méthode à chaud et sceller.

Marinades de courgettes I

Donne 3 litres (12 tasses) environ

1,5 litre (6 tasses) d'eau glacée
6 c. à soupe de gros sel
1 kg (2 lb) de courgettes, en tranches fines
320 g (2 tasses) d'oignons, en tranches fines
500 ml (2 tasses) de vinaigre
200 g (1 tasse) de sucre
1 c. à café (à thé) de graines de céleri
1 c. à café (à thé) de graines de moutarde
1 c. à café (à thé) de curcuma moulu
½ c. à café (à thé) de moutarde sèche

Mélanger l'eau et le sel pour faire une saumure. Verser sur les légumes et laisser reposer 3 heures, puis égoutter avec soin. Porter le vinaigre à ébullition, y dissoudre le sucre et ajouter les épices. Mettre les légumes dans le vinaigre, bien mélanger et laisser reposer 1 heure. Cuire environ 5 minutes. Mettre en pots selon la méthode à chaud et sceller.

Marinades de courgettes II

1 grosse courgette
750 g (1 ½ lb) d'oignons, hachés
2 c. à soupe de sel
2 litres (8 tasses) de vinaigre de malt
350 g (1 ¾ tasse) de cassonade
2 c. à soupe de gingembre moulu
2 c. à soupe de curcuma moulu
1 c. à soupe de clous de girofle entiers
12 grains de poivre noir
4 poivrons verts, en lanières

Peler la courgette, épépiner et couper en dés. Mettre dans un grand plat avec les oignons en saupoudrant de sel au fur et à mesure. Couvrir d'un linge et laisser reposer toute la nuit. Le lendemain, rincer et égoutter les légumes avec soin. Verser le vinaigre dans une marmite et ajouter la cassonade, le gingembre, le curcuma, les clous de girofle et le poivre. Porter à ébullition et laisser mijoter 30 minutes. Ajouter les légumes et les poivrons. Cuire à feu doux pendant 1 h 30 ou jusqu'à épaississement. Mettre en pots selon la méthode à chaud et sceller.

Marinades de poivrons, oignons et champignons

Donne 3 à 4 litres (12 à 16 tasses)

2 litres (8 tasses) d'eau
3 c. à soupe de gros sel
1 kg (2 lb) de poivrons rouges, en lanières assez larges
1 kg (2 lb) de poivrons verts, en lanières assez larges
250 g (½ lb) d'oignons, en rondelles épaisses
500 g (1 lb) de petits champignons, lavés et essuyés
8 gousses d'ail par pot de 1 litre (4 tasses)
1 branche de romarin frais par pot
2 feuilles de laurier par pot
1 c. à soupe de grains de poivre noir par pot
1 litre (4 tasses) de vinaigre de vin
135 g (⅔ de tasse) de sucre

Porter l'eau à ébullition et y dissoudre 1 c. à soupe de gros sel. Cuire les poivrons, les oignons et les champignons 2 minutes. Égoutter et mettre en pots avec l'ail, le romarin, le laurier et les grains de poivre. Porter le vinaigre à ébullition, puis y dissoudre le reste du sel et le sucre. Verser immédiatement sur les légumes. Fermer les couvercles sans sceller les pots. Le lendemain, filtrer le vinaigre, le faire bouillir de nouveau et le verser dans les bocaux. Sceller et laisser reposer au moins 5 semaines avant de consommer.

Conserve
de poivrons rouges

page 56

Conserve de petits pois

page 56

Chutney aux fruits

page 64

Chutney
aux pommes

page 68

Betteraves
marinées

page 84

Cornichons
à l'aneth

page 98

Ketchup
aux fruits

page 134

Sauce chinoise
aux piments

page 144

Marinades de tomates mûres

∼✺∼

36 tomates bien mûres
2 pieds de céleri, hachés finement
1 gros oignon, haché finement
2 poivrons verts, hachés finement
1 c. à café (à thé) de sel
1,75 litre (7 tasses) de vinaigre
3 c. à soupe de cassonade

Mélanger tous les ingrédients et cuire environ 2 heures en remuant souvent (surtout en fin de cuisson). Mettre en pots et sceller.

Marinades de tomates vertes

∽०१०∽

1 kg (2 lb) de tomates vertes, en tranches fines
1 kg (2 lb) d'oignons, émincés
1 kg (2 lb) de chou vert, haché finement
1 poivron vert, haché
Gros sel
Vinaigre

Dans un sachet:
4 ou 5 clous de girofle
7 ou 8 grains de poivre noir
1 morceau de cannelle

Disposer les légumes en couches successives dans un grand plat en les saupoudrant au fur et à mesure de gros sel. Laisser reposer toute la nuit. Le lendemain, jeter l'eau qui s'est accumulée. Rincer et égoutter les légumes avec soin. Couvrir de vinaigre et cuire avec le sachet d'épices pendant 3 heures à feu doux en remuant souvent (surtout en fin de cuisson). Jeter le sachet. Mettre en pots selon la méthode à chaud et sceller.

Marinades pour salades de légumineuses (3 versions)

1re version – À l'aneth

250 ml (1 tasse) d'huile d'olive
3 c. à soupe de jus de citron
½ c. à café (à thé) de sel
½ c. à café (à thé) de poivre
5 g (½ tasse) d'aneth frais, haché

2e version – À la moutarde

250 ml (1 tasse) de vinaigre de vin blanc
2 c. à café (à thé) de sucre
½ c. à café (à thé) de sel
60 ml (¼ de tasse) d'huile d'olive
80 g (½ tasse) d'oignon, haché finement
2 c. à soupe de persil frais, haché
1 c. à soupe d'estragon frais, haché
¼ de c. à café (à thé) de poivre blanc
1 c. à café (à thé) de moutarde sèche
2 c. à café (à thé) de câpres, égouttées et hachées

3e version – Piquante

250 ml (1 tasse) d'huile d'olive
60 ml (¼ de tasse) de vinaigre de vin rouge
2 gousses d'ail, hachées finement
2 c. à soupe d'oignon, haché finement
2 c. à soupe de basilic frais, haché finement
2 filets d'anchois, réduits en purée
1 c. à café (à thé) d'origan séché
1 c. à café (à thé) de poivre noir
2 c. à café (à thé) de persil frais, haché

Mesurer 500 g (2 ½ tasses) de légumineuses au choix (pois chiches, lentilles, haricots rouges, haricots de Lima, gourganes, etc.). La veille, couvrir généreusement d'eau froide celles qui nécessitent un prétrempage en respectant le nombre d'heures requis selon la variété choisie. Cuire ensuite dans une casserole d'eau bouillante jusqu'à ce qu'elles soient tendres, puis égoutter. Couvrir de l'une des trois marinades suivantes et bien mélanger. Laisser macérer au froid au moins 24 heures avant de commencer à consommer. Ces salades froides, auxquelles on peut rajouter des condiments variés (tranches d'olives vertes ou noires, poivrons hachés grossièrement, céleri émincé, etc.) sont encore meilleures après quelques jours. Pour un meilleur résultat, mélanger les salades à plusieurs reprises.

Navets marinés
à la mode arabe

༚ᨆ༚

Donne 500 ml (2 tasses)

6 à 8 petits navets blancs, en bâtonnets
1 betterave moyenne, pelée
500 ml (2 tasses) d'eau
250 ml (1 tasse) de vinaigre de vin rouge
2 ou 3 gousses d'ail entières
2 c. à café (à thé) de sel
2 petits piments forts rouges

Dans un bol, couvrir les navets d'eau froide et laisser reposer toute la nuit. Le lendemain, les rincer à l'eau froide courante. Couper la betterave en tranches fines et en placer la moitié au fond d'un pot. Ajouter les navets, puis le reste des betteraves. Mélanger le reste des ingrédients et verser sur les légumes. Laisser reposer au moins 1 semaine en remuant le bocal de temps à autre de manière à répartir le jus rendu par la betterave. Conserver au froid. Servir avec les plats épicés, le couscous, etc.

Petites betteraves marinées

Donne 2 litres (8 tasses)

40 à 50 petites betteraves de 2 à 4 cm
(¾ à 1 ½ po) de diamètre
1 litre (4 tasses) de vinaigre
375 ml (1 ½ tasse) d'eau
200 g (1 tasse) de sucre
1 ½ c. à café (à thé) de sel
3 c. à soupe d'épices pour marinades
(mises dans un sachet)

Cuire les betteraves en gardant au moins 5 cm (2 po) de tiges et les racines. Quand elles sont tendres, les plonger dans l'eau froide. Égoutter, peler et mettre en pots. Faire bouillir le vinaigre, l'eau, le sucre, le sel et le sachet d'épices 5 minutes. Jeter le sachet. Couvrir les betteraves de vinaigre et sceller.

Petits oignons blancs aigres-doux

∽∾∽

1,5 kg (3 lb) de petits oignons blancs non pelés
750 ml (3 tasses) d'eau
750 ml (3 tasses) de vinaigre
6 c. à soupe d'huile d'olive
100 g (½ tasse) de sucre
2 c. à soupe de purée de tomates
100 g (⅔ de tasse) de raisins verts sans pépins
2 clous de girofle
Sel et poivre au goût

Blanchir les oignons de 2 à 3 minutes, puis les refroidir dans l'eau froide. Égoutter et peler. Porter l'eau et le vinaigre à ébullition, puis ajouter le reste des ingrédients dans l'ordre. Ajouter les oignons dès la reprise de l'ébullition et cuire à feu doux environ 1 heure. Mettre en pots selon la méthode à chaud et sceller.

Petits oignons blancs marinés

~~~

Donne 2 litres (8 tasses)

1,25 kg (2 ¾ lb) de petits oignons blancs non pelés
2 litres (8 tasses) d'eau bouillante
180 g (¾ de tasse) de gros sel
1 litre (4 tasses) de vinaigre blanc
200 g (1 tasse) de sucre blanc
1 bâton de cannelle (ou 2 c. à soupe d'épices pour
marinades mises dans un sachet)

Blanchir les oignons de 2 à 3 minutes dans l'eau bouillante. Refroidir dans l'eau froide et peler. Préparer une saumure avec l'eau bouillante et le sel. Verser sur les oignons et laisser reposer toute la nuit. Égoutter, rincer et égoutter de nouveau. Porter le vinaigre à ébullition, y dissoudre le sucre et ajouter la cannelle. Laisser mijoter 5 minutes. Jeter la cannelle ou le sachet. Ajouter les oignons et porter à ébullition. Mettre en pots et couvrir de vinaigre bouillant. Sceller immédiatement.

Piccalilli

2,75 kg (6 lb) de légumes préparés (concombre,
chou-fleur, petits oignons blancs, tomates, etc.)
500 g (2 tasses) de gros sel
1 litre (4 tasses) de vinaigre
1 c. à soupe de curcuma moulu
1 c. à soupe de moutarde sèche
1 c. à soupe de gingembre moulu
2 grosses gousses d'ail, broyées
200 g (1 tasse) de sucre
3 c. à soupe combles de farine

Parer les légumes et les couper en petits morceaux.
Disposer en couches successives dans un grand plat
en les saupoudrant au fur et à mesure de gros sel.
Laisser reposer toute la nuit, puis rincer et égoutter
avec soin. Verser le vinaigre dans une marmite et
ajouter les épices, l'ail et le sucre. Porter à ébullition
et cuire les légumes dans le vinaigre jusqu'à ce qu'ils
soient tendres mais encore croquants. Dissoudre la
farine dans un peu de vinaigre chaud et l'incorporer
au mélange. Cuire de 2 à 3 minutes. Mettre en pots
selon la méthode à chaud et sceller.

Piccalilli de grand-mère

Donne 3 litres (12 tasses)

3,2 kg (16 tasses) de tomates vertes, en morceaux
125 g (½ tasse) de gros sel
4 gros oignons, hachés grossièrement
3 poivrons verts, hachés grossièrement
1 poivron rouge, haché finement
1 litre (4 tasses) de vinaigre
2 c. à café (à thé) d'épices pour marinades
(mises dans un sachet)
400 g (2 tasses) de sucre
1 ½ c. à café (à thé) de piment de la Jamaïque entier
½ c. à café (à thé) de cannelle moulue
1 ½ c. à café (à thé) de curcuma moulu
1 c. à café (à thé) de graines de moutarde
1 c. à café (à thé) de graines de céleri

Couvrir les tomates de sel et laisser reposer de 4 à 5 heures. Jeter l'eau qui s'est accumulée. Cuire à feu doux avec le reste des ingrédients de 2 à 3 heures en remuant souvent (surtout en fin de cuisson). Jeter le sachet. Mettre en pots selon la méthode à chaud et sceller.

Plantes sauvages marinées
༄

Outre divers champignons (coprins chevelus, pleurotes, etc.), les têtes-de-violon et l'ail des bois (voir
recettes pages 57 et 83), diverses plantes sauvages
peuvent aussi être marinées. Parmi les plus connues :
la salicorne (rivages salés du Saint-Laurent), la médéole
de Virginie, la dentaire à deux feuilles et le pourpier
gras (page 126). Voir aussi Boutons de pissenlit confits
(page 150) et Boutons d'hémérocalle confits (page 86).
Pour la description de ces plantes, consultez un livre ou
un site Web spécialisé.

Pleurotes marinés
༄

250 ml (1 tasse) de vinaigre
125 ml (½ tasse) d'eau
500 g (1 lb) de pleurotes, en lamelles fines
2 clous de girofle
½ poivron rouge, haché
1 petite branche d'estragon
1 feuille de laurier
3 ou 4 grains de poivre
Huile d'olive

Porter le vinaigre et l'eau à ébullition. Ajouter les
champignons, les clous de girofle et le poivron. Cuire
15 minutes à feu doux, puis mettre en petits pots.
Ramener le vinaigre à ébullition, puis couvrir les champignons auxquels on a ajouté l'estragon, le laurier et le
poivre. Terminer avec un peu d'huile d'olive. Sceller et
garder au frais.

Poivrons Diligence

~~~

Donne 6 litres (24 tasses) environ

1 chou vert moyen, émincé
6 oignons, émincés
9 poivrons rouges, en petits morceaux
9 poivrons verts, en petits morceaux
125 g (½ tasse) de gros sel
800 g (4 tasses) de sucre
60 g (¾ de tasse) de graines de moutarde
1 c. à soupe de graines de céleri
Vinaigre de cidre

Mélanger les légumes avec le gros sel dans un grand plat et laisser reposer toute la nuit. Le lendemain, égoutter avec soin. Dans une marmite, mélanger les légumes avec le sucre et les graines de moutarde et de céleri. Couvrir de vinaigre et chauffer doucement jusqu'à dissolution du sucre. Remuer sans cesse sans faire cuire. Mettre en pots selon la méthode à chaud et sceller.

Poivrons marinés aux herbes

1,5 kg (3 lb) de poivrons verts et rouges,
en lanières de 5 mm (¼ de po) de largeur
3 c. à soupe de sel
750 ml (3 tasses) de vinaigre de vin rouge
2 feuilles de laurier
2 brins de thym frais
2 brins de persil frais
1 c. à café (à thé) de grains de poivre noir

Disposer les poivrons en couches successives dans un grand plat en les saupoudrant au fur et à mesure de sel. Laisser reposer 12 heures, puis rincer et égoutter avec soin. Dans une marmite, mélanger le vinaigre, le laurier, le thym, le persil et le poivre. Porter à ébullition et laisser mijoter quelques minutes. Mettre les poivrons en pots et couvrir du vinaigre filtré. Sceller immédiatement.

Pourpier gras mariné

~~~

Donne 1,5 à 1,75 litre (6 à 7 tasses)

450 g (10 tasses) de tiges tendres de pourpier gras
480 g (3 tasses) d'oignons, hachés finement
690 g (3 tasses) de cassonade (bien tassée)
250 ml (1 tasse) de vinaigre de cidre
2 c. à café (à thé) de sel

Dans un sachet :

2 gousses d'ail entières
2 c. à soupe d'épices pour marinades
2 c. à soupe de cannelle concassée
1 c. à soupe de gingembre frais, pelé et haché finement

Dans une marmite, cuire tous les ingrédients jusqu'à ce que le pourpier soit tendre. Jeter le sachet. Mettre en pots et stériliser 1 heure (ou 20 minutes sous pression).

Rhubarbe marinée

1 kg (8 tasses) de tiges de rhubarbe, en morceaux
de 2,5 cm (1 po)
2 oignons moyens, hachés
500 ml (2 tasses) de vinaigre
600 g (3 tasses) de sucre
1 c. à café (à thé) de cannelle moulue
1 c. à café (à thé) de clou de girofle moulu
1 c. à café (à thé) de sel

Dans une marmite, mélanger tous les ingrédients et cuire environ 1 h 30. Mettre en pots selon la méthode à chaud et sceller.

Salade d'hiver (marinades crues)

Donne 2 à 3 litres (8 à 12 tasses)

2 kg (4 lb) de tomates mûres
7 gros oignons, en tranches
2 pieds de céleri, en tranches
1 poivron vert, en tranches
180 g (¾ de tasse) de gros sel
400 g (2 tasses) de sucre blanc
500 ml (2 tasses) de vinaigre
2 c. à soupe de graines de moutarde

Blanchir les tomates dans l'eau bouillante, puis les refroidir dans l'eau froide. Dans un grand bol, mélanger les oignons, le céleri et le poivron, puis couvrir de gros sel. Laisser égoutter de 8 à 12 heures dans un sac d'étamine. Le lendemain, mélanger délicatement les légumes avec le reste des ingrédients et mettre en pots. Ces marinades se conservent jusqu'à 3 mois au réfrigérateur.

Tomates cerises aigres-douces au basilic

∽◌∾

Donne 6 litres (24 tasses)

2,75 kg (6 lb) de petites tomates cerises mûres ou non
155 g (½ tasse) de sel
1 kg (6 ¼ tasses) d'échalotes, pelées
6 brins de basilic frais
1,25 litre (5 tasses) de vinaigre de vin
1,25 litre (5 tasses) de vin rouge
1,2 kg (6 tasses) de sucre

Piquer les tomates vertes à quelques reprises. Saupoudrer de sel et laisser reposer au frais 24 heures. Égoutter, rincer et égoutter de nouveau. Mettre en pots avec les échalotes et le basilic. Porter le vinaigre et le vin à ébullition et y dissoudre le sucre. Verser dans les bocaux et sceller.

Tomates vertes entières marinées

Petites tomates vertes
Clous de girofle
Vinaigre dilué (3 parties pour 1 partie d'eau)
Sucre

Blanchir les tomates de 1 à 2 minutes, refroidir dans
l'eau froide et égoutter. Piquer quelques clous de
girofle dans chacune. Faire bouillir du vinaigre légèrement sucré. Ajouter les tomates et cuire 20 minutes.
Mettre en pots et couvrir de vinaigre chaud. Sceller
immédiatement.

Sauces et ketchups

Ketchup à la rhubarbe

1 kg (2 lb) de rhubarbe, en morceaux de 1 cm (½ po)
750 g (3 ¾ tasses) de sucre
250 ml (1 tasse) de vinaigre
1 c. à café (à thé) de cannelle moulue
½ c. à café (à thé) de clou de girofle moulu

Mélanger tous les ingrédients. Cuire jusqu'à ce que la rhubarbe soit en compote, ou plus longtemps si l'on préfère une consistance plus épaisse, en remuant souvent (surtout en fin de cuisson). Mettre en pots selon la méthode à chaud et sceller.

Ketchup aux champignons

750 g (10 tasses) de champignons, hachés
ou en tranches fines
Gros sel
½ c. à café (à thé) de macis
½ c. à café (à thé) de baies de piment de la Jamaïque
¼ de c. à café (à thé) de poivre rouge
6 clous de girofle entiers

Disposer les champignons en couches successives dans un grand plat en les saupoudrant au fur et à mesure de gros sel. Couvrir et laisser reposer au moins 24 heures. Rincer et égoutter avec soin. Ajouter les épices et laisser mijoter 4 heures en remuant souvent (surtout en fin de cuisson). Mettre en pots selon la méthode à chaud et sceller. Garder au frais.

Ketchup aux fruits I

6 tomates bien mûres
6 pêches bien mûres
6 poires bien mûres
6 pommes à cuire
6 gros oignons
6 poivrons verts et rouges
½ pied de céleri
1 kg (5 tasses) de sucre
500 ml (2 tasses) de vinaigre
2 c. à soupe de gros sel
1 c. à soupe d'épices pour marinades
(mises dans un sachet)

Parer et hacher les fruits et les légumes, puis les cuire avec le reste des ingrédients environ 30 minutes. Jeter le sachet. Passer au mélangeur si désiré. Mettre en pots selon la méthode à chaud et sceller.

Ketchup aux fruits II

Donne 4 litres (16 tasses) environ

16 grosses tomates rouges
6 pêches bien mûres
6 poires bien mûres
6 pommes à cuire
6 gros oignons
2 gros poivrons rouges
6 branches de céleri
1 litre (4 tasses) de vinaigre
2 c. à soupe de sel
90 g (½ tasse) d'épices pour marinades
(mises dans un sachet)

Blanchir les tomates et les pêches dans l'eau bouillante, puis les refroidir dans l'eau froide. Égoutter, peler et hacher. Évider les poires et les pommes, puis les hacher sans les peler. Hacher les oignons, les poivrons et le céleri. Dans une marmite, mélanger tous les ingrédients et laisser mijoter de 1 h 30 à 2 h, jusqu'à épaississement, en remuant souvent (surtout en fin de cuisson). Jeter le sachet. Mettre en pots et sceller.

Ketchup aux poires

∽✼∾

30 tomates bien mûres
6 poires, hachées
6 pêches, pelées et hachées
6 oignons, hachés finement
1 poivron vert, haché finement
800 g (4 tasses) de sucre
500 ml (2 tasses) de vinaigre
2 c. à soupe de sel

Couper les tomates en quartiers. Déposer dans une marmite avec le reste des ingrédients. Laisser mijoter environ 2 heures en remuant souvent (surtout en fin de cuisson). Mettre en pots selon la méthode à chaud et sceller.

Ketchup aux poivrons

∽✼∾

12 oignons
12 poivrons verts
12 poivrons rouges
1 ou 2 petits piments forts frais ou séchés
ou quelques gouttes de tabasco (facultatif)
6 pommes, pelées
1,25 litre (5 tasses) de vinaigre
800 g (4 tasses) de sucre
1 c. à soupe de sel

Parer et hacher les légumes et les pommes. Déposer dans une marmite avec le reste des ingrédients. Cuire à feu doux environ 1 heure en remuant souvent (surtout en fin de cuisson). Passer au mélangeur si désiré. Empoter chaud et sceller.

Ketchup aux tomates vertes

3,2 kg (16 tasses) de tomates vertes, en quartiers
155 g (½ tasse) de sel de table
4 gros oignons
3 poivrons verts
1 poivron rouge
1 litre (4 tasses) de vinaigre
400 g (2 tasses) de sucre

Dans un sachet :
2 c. à café (à thé) d'épices pour marinades
½ c. à café (à thé) de piment de la Jamaïque entier
½ c. à café (à thé) de cannelle concassée

Saupoudrer les tomates de sel et laisser reposer de 4 à 5 heures. Jeter l'eau qui s'est accumulée. Dans une marmite, laisser mijoter les tomates avec le reste des ingrédients de 2 à 3 heures en remuant souvent (surtout en fin de cuisson). Jeter le sachet. Mettre en pots selon la méthode à chaud et sceller.

Ketchup d'hiver

1 grosse boîte de tomates
3 gros oignons, hachés
3 pommes, hachées
2 branches de céleri, hachées
Un peu de pâte de tomates
400 g (2 tasses) de sucre
250 ml (1 tasse) de vinaigre
2 c. à café (à thé) d'épices pour marinades
(mises dans un sachet)

Mélanger tous les ingrédients et cuire environ 2 heures en remuant souvent (surtout en fin de cuisson). Jeter le sachet. Mettre en pots selon la méthode à chaud et sceller.

Ketchup rouge I

12 belles tomates mûres
500 ml (2 tasses) de vinaigre
2 c. à soupe de sucre
½ c. à café (à thé) de poivre
1 c. à café (à thé) de sel

Dans un sachet :

1 morceau de cannelle
2 c. à café (à thé) de clous de girofle entiers
2 c. à café (à thé) de graines de moutarde
2 petits piments forts séchés

Blanchir les tomates dans l'eau bouillante et les refroidir dans l'eau froide. Peler et cuire jusqu'à réduction de moitié en remuant souvent. Ajouter le reste des ingrédients et cuire de 20 à 30 minutes ou jusqu'à la consistance désirée. Jeter le sachet et, si désiré, passer le ketchup au mélangeur. Mettre en pots selon la méthode à chaud et sceller.

Ketchup rouge II

3,6 kg (8 lb) de tomates mûres, en morceaux
160 g (1 tasse) d'oignons, hachés
120 g (¾ de tasse) de poivron vert, haché
3 c. à soupe de sel
200 g (1 tasse) de sucre
375 ml (1 ½ tasse) de vinaigre

Dans un sachet :
2 bâtons de cannelle
½ c. à café (à thé) de baies de piment de la Jamaïque
1 ½ c. à café (à thé) de graines de moutarde
1 c. à café (à thé) de graines de céleri

Dans une marmite, mélanger les tomates, les oignons et le poivron. Cuire 20 minutes. Ajouter le sel, le sucre, le vinaigre et le sachet d'épices. Cuire environ 1 heure en remuant souvent (surtout en fin de cuisson). Jeter le sachet. Passer au mélangeur et remettre sur le feu si la texture est trop liquide. Mettre en pots selon la méthode à chaud et sceller.

Ketchup rouge III

Donne 5 ½ litres (22 tasses)

24 belles tomates mûres, en quartiers
8 pommes, hachées
6 oignons, hachés
1 pied de céleri, haché
800 g (4 tasses) de sucre
1,5 litre (6 tasses) de vinaigre
2 c. à café (à thé) de cannelle moulue
4 c. à café (à thé) de sel
1 c. à soupe d'épices pour marinades
(mises dans un sachet)

Dans une marmite, cuire tous les ingrédients environ 3 heures en remuant souvent (surtout en fin de cuisson). Jeter le sachet et, si désiré, passer le ketchup au mélangeur. Mettre en pots selon la méthode à chaud et sceller.

Ketchup vert I

3,2 kg (7 lb) de tomates vertes, en tranches fines
6 gros oignons, en tranches fines
180 g (¾ de tasse) de gros sel
½ citron
2 poivrons rouges
1 litre (4 tasses) de vinaigre
575 g (2 ½ tasses) de cassonade

Dans un sachet :
1 c. à soupe de graines de moutarde
1 c. à café (à thé) de baies de piment de la Jamaïque
1 c. à soupe de clous de girofle entiers
1 c. à soupe de grains de poivre
1 c. à soupe de graines de céleri
1 c. à soupe de moutarde sèche

Disposer les tomates et les oignons en couches successives dans un grand plat en les saupoudrant au fur et à mesure de gros sel. Le lendemain, rincer avec soin et égoutter. Couper le citron et les poivrons en tranches les plus fines possible. Dans une grande marmite, mélanger le vinaigre, la cassonade et le sachet d'épices. Porter à ébullition et ajouter tout le reste des ingrédients. Cuire 30 minutes en remuant de temps à autre. Jeter le sachet et mettre en pots. Sceller immédiatement.

Ketchup vert II

∾∾

3 petits paniers de tomates vertes, en tranches
Gros sel
2 pieds de céleri, hachés
4 poivrons verts, hachés
6 poires, hachées
6 pêches mûres, pelées et hachées
520 g (2 ¼ tasses) de cassonade
1,25 à 1,5 litre (5 à 6 tasses) de vinaigre
2 c. à soupe de moutarde sèche

Dans un sachet:
1 c. à café (à thé) de clous de girofle entiers
2 c. à soupe d'épices pour marinades

Disposer les tomates en couches successives dans un grand plat en les saupoudrant au fur et à mesure de gros sel. Couvrir le plat et laisser reposer toute la nuit. Le lendemain, jeter l'eau qui s'est accumulée. Dans une marmite, mélanger les tomates et le reste des ingrédients. Cuire à feu doux pendant 3 heures. Jeter le sachet. Mettre en pots selon la méthode à chaud et sceller.

Ketchup vert III

1 kg (5 litres) de tomates, en tranches fines
1 chou-fleur, haché
½ pied de céleri, haché
3 oignons, en tranches fines
Gros sel
2 poivrons verts, hachés
2 poivrons rouges, hachés
2 c. à soupe d'épices pour marinades
(mises dans un sachet)
Vinaigre pour couvrir
575 g (2 ½ tasses) de cassonade

Disposer les tomates, le chou-fleur, le céleri et les oignons en couches successives dans un grand plat en les saupoudrant au fur et à mesure de gros sel. Couvrir le plat et laisser reposer toute la nuit. Le lendemain, égoutter les légumes et les mettre dans une grande marmite avec les poivrons et le sachet d'épices. Couvrir de vinaigre. Ajouter la cassonade et cuire environ 2 heures en remuant souvent (surtout en fin de cuisson). Jeter le sachet. Mettre en pots selon la méthode à chaud et sceller.

Sauce chili douce

Donne 2 litres (8 tasses) environ

3,2 kg (7 lb) de tomates mûres
400 g (2 ½ tasses) d'oignons, hachés
400 g (2 ½ tasses) de poivrons rouges, hachés
345 g (1 ½ tasse) de sucre
2 c. à soupe de sel
1 litre (4 tasses) de vinaigre

Dans un sachet :
1 c. à soupe de clous de girofle entiers
3 c. à soupe de baies de piment de la Jamaïque
1 c. à soupe de graines de céleri

Blanchir les tomates et les refroidir dans l'eau froide. Égoutter, peler et couper en morceaux. Ajouter le reste des ingrédients. Cuire de 2 h à 2 h 30 en remuant souvent (surtout en fin de cuisson). Jeter le sachet et mettre en pots. Sceller immédiatement.

Sauce chili piquante

Donne 3 ½ litres (14 tasses)

12 grosses tomates mûres, en gros quartiers
4 poivrons verts, hachés
8 petits piments forts frais, hachés
3 gros oignons, hachés
500 ml (2 tasses) de vinaigre
2 c. à soupe de sel
½ c. à café (à thé) de clou de girofle moulu
1 c. à café (à thé) de piment de la Jamaïque moulu

143

1 c. à café (à thé) de cannelle moulue
1 c. à café (à thé) de muscade
2 c. à café (à thé) de gingembre frais, pelé et râpé
1 c. à café (à thé) de poivre noir moulu

Dans une marmite, mélanger tous les ingrédients. Cuire à l'étouffée jusqu'à ce que les légumes soient tendres. Passer au mélangeur et ramener à faible ébullition à découvert en remuant sans cesse dès que la sauce commence à épaissir. Mettre en pots selon la méthode à chaud et sceller.

Sauce chinoise aux piments

12 piments forts rouges
Le jus de 2 citrons
2 c. à soupe de sauce de poisson (nuoc-mâm)
2 c. à café (à thé) de sucre
1 gousse d'ail, broyée

Parer les piments et les passer au mélangeur (attention de ne pas se frotter les yeux!). Verser dans un petit plat et incorporer le reste des ingrédients. Conserver au froid. Servir avec des mets chinois.

Recettes diverses

Antipasto de luxe

Donne 5 litres (20 tasses) environ

**Recette élaborée mais excellente.
Servez cet antipasto en entrée lors
de vos grands repas à l'italienne.**

1,25 litre (5 tasses) d'eau
1,25 litre (5 tasses) de vinaigre
500 g (1 lb) de céleri, en morceaux de 2,5 cm (1 po)
500 g (1 lb) de petits oignons blancs, blanchis et pelés
500 g (1 lb) de carottes, en petits morceaux
500 g (1 lb) de chou-fleur, en petits bouquets
500 g (1 lb) de grosses fèves fraîches
500 g (1 lb) de fonds d'artichaut frais
2,5 litres (10 tasses) de tomates en purée
500 ml (2 tasses) d'huile d'olive
1 c. à soupe de grains de poivre noir
250 g (½ lb) de petits champignons de Paris
465 g (3 tasses) d'olives vertes
70 g (½ tasse) de câpres, égouttées et hachées
320 g (2 tasses) de petits cornichons marinés non sucrés
120 g (¾ de tasse) de piments forts rouges marinés
2,5 litres (10 tasses) de vinaigre de vin rouge
3 boîtes de thon entier
2 boîtes d'anchois

Dans une marmite, porter l'eau et le vinaigre à ébullition. Ajouter tous les légumes et cuire 10 minutes. Égoutter et laisser reposer au frais dans un grand plat jusqu'au lendemain. Le lendemain, dans une marmite, laisser mijoter la purée de tomates, l'huile d'olive et le poivre 10 minutes en remuant. Ajouter les légumes et le reste des ingrédients, sauf le thon et les anchois.

Cuire 10 minutes et remplir des bocaux à large ouverture en répartissant également le thon, les anchois et la sauce tomate. (Si l'on ne veut pas mettre le thon et les anchois en conserve, les ajouter à l'antipasto au moment de servir.) Éliminer les bulles d'air, sceller et stériliser 2 heures (ou 35 minutes sous pression). Attendre au moins 1 mois avant de consommer.

Antipasto de poivrons rouges

Donne 500 ml (2 tasses)

3 gros poivrons rouges
2 gousses d'ail, broyées
Huile d'olive vierge pressée à froid
Le jus de 1 citron
Sel au goût

Procéder comme pour la Conserve de poivrons rouges (p. 56). Au moment où ils sont coupés en lanières, les placer dans des petits pots, mais au lieu de vinaigre, couvrir d'ail, d'huile et de jus de citron. Saler au goût. Sceller les pots et les retourner à quelques reprises afin que les poivrons soient toujours bien enrobés d'huile. Conserver au froid.

Base de sauce tomate

30 tomates italiennes (Roma) ou 12 grosses
tomates bien mûres
3 gros oignons, hachés grossièrement
1 gros poivron vert, haché finement
4 branches de céleri, hachées finement
2 concombres moyens, hachés
2 gousses d'ail, broyées
1 branche de thym frais
1 branche d'origan frais
1 branche de basilic frais
2 feuilles de laurier
2 c. à soupe de gros sel
Poivre noir au goût
1 pincée de sucre
60 g (1 tasse) de persil

Blanchir les tomates et les refroidir dans l'eau froide.
Peler et couper en quartiers. Dans une marmite,
mélanger les tomates avec le reste des ingrédients,
sauf le persil. (À défaut d'herbes fraîches, employer
1 c. à café (à thé) de chacune des herbes.) Cuire
30 minutes et ajouter le persil. Mettre en pots, fermer
les couvercles et stériliser 2 heures (ou 30 minutes sous
pression). Cette sauce peut être employée telle quelle
ou épaissie avec de la pâte de tomates dans les soupes,
le riz, les pâtes (ajouter de la viande si désiré).

Bases de soupe
(pour congélation)

Au temps de la récolte ou lorsque les produits se vendent moins cher, il peut être utile de préparer des bases de soupes avec asperges, carottes, céleri, épinards, poireaux, etc. Les légumes seront cuits (avec ou sans oignons, au goût) avec un peu de beurre, puis passés au mélangeur. On répartira ensuite cette purée à raison de 250 ml (1 tasse) par sac de plastique. Pour faire la soupe, il suffira d'ajouter 250 ml (1 tasse) de purée à 3 ou 4 tasses (750 ml à 1 litre) de bouillon et de cuire le tout 20 minutes. On ajoutera, selon les légumes choisis et la consistance voulue, des flocons de pommes de terre (ou un reste de purée), du lait, de la crème, du jaune d'œuf battu (pour lier) et des fines herbes au goût. Ne pas conserver ces bases de soupes plus de 12 mois.

Boutons de pissenlit confits

Donne 500 ml (2 tasses)

200 g (2 tasses) de boutons de pissenlit
250 ml (1 tasse) de vinaigre
1 petite branche d'estragon
Quelques grains de poivre
2 clous de girofle
½ c. à café (à thé) de sucre

Cueillir les boutons encore petits au cœur de la rosette de feuilles dans un endroit qu'on sait exempt de tout produit chimique. Laisser tremper 30 minutes dans l'eau vinaigrée. Rincer à l'eau courante et égoutter. Porter le vinaigre à ébullition, ajouter les boutons de pissenlit et cuire environ 2 minutes. Mettre les boutons en petits pots et ajouter le reste des ingrédients. Couvrir de vinaigre et sceller immédiatement.

Note : Ces boutons de pissenlit peuvent remplacer les câpres dans n'importe quelle recette (sauce ravigote, etc.). On peut confire de la même manière les boutons de capucine, de souci cultivé ou de souci d'eau (populage).

Cerises marinées piquantes

∞

1 kg (2 lb) de cerises
1 branche d'estragon
24 grains de poivre
2 clous de girofle
750 ml (3 tasses) de vinaigre de vin
1 c. à café (à thé) de sel

Équeuter et laver les cerises, puis les égoutter avec soin. Déposer dans un grand plat avec l'estragon, le poivre et les clous de girofle. Porter le vinaigre à ébullition, y dissoudre le sel et laisser refroidir. Verser sur les cerises et les épices et laisser reposer jusqu'au lendemain. Filtrer le vinaigre et laisser mijoter 5 minutes. Mettre les cerises en pots, couvrir de vinaigre et sceller immédiatement. Servir avec le canard ou le gibier.

Choucroute

À l'aide d'une râpe solide ou d'un bon couteau à légumes, hacher finement des choux blancs d'hiver. Au fond d'un grand pot en grès, disposer une bonne couche de sel marin puis une couche de 15 à 20 cm (6 à 8 po) d'épaisseur de chou râpé. Ajouter des condiments au choix (graines de carvi, grains de poivre, thym, feuilles de laurier, baies de genièvre, clous de girofle entiers, muscade râpée, ail, coriandre, etc.) et une bonne poignée de sel marin. Presser le chou au fond du pot en le remplissant jusqu'à 15 à 20 cm (6 à 8 po) du bord. Couvrir d'une saumure préparée avec 100 g de sel par litre d'eau (⅓ de tasse de sel pour 4 tasses d'eau). Déposer sur la choucroute des feuilles de chou sur lesquelles on placera un couvercle de bois et, par-dessus celui-ci, une grosse pierre lourde. Une semaine plus tard, enlever la pierre, le couvercle et les feuilles de chou, puis renouveler la saumure de surface et replacer comme avant. Répéter l'opération chaque semaine pendant 1 mois. La choucroute sera prête à être consommée au bout de 1 mois. On prend alors la quantité voulue, on la lave à grande eau, on l'égoutte et on la sert, crue ou cuite (celle-ci accompagne à merveille la saucisse et les lentilles au lard). Pour conserver longtemps la choucroute, changer la saumure toutes les deux semaines. On doit la conserver dans un endroit très frais et à l'ombre. Le meilleur temps pour la préparer est le mois d'octobre (lorsqu'il fait trop chaud, les problèmes de fermentation sont plus élevés). Navets, carottes et betteraves se prêtent à la même préparation et sont tout aussi savoureux en plus d'être une source appréciable de vitamines et de sels minéraux.

Confiture de baies d'églantier

∿

640 g (4 tasses) de baies d'églantier
125 ml (½ tasse) de vin blanc
200 g (1 tasse) de sucre

Couper les baies d'églantier en deux et les débarrasser minutieusement des poils et des graines. Laisser macérer dans le vin de 6 à 8 jours en remuant chaque jour. Réduire en purée au chinois et en mesurer 250 g (1 tasse). Dans une grande casserole, cuire le sucre avec le vin, puis incorporer la purée. Porter à ébullition et retirer du feu immédiatement. Remuer à plusieurs reprises jusqu'à refroidissement complet. Mettre en pots et sceller. Excellente source de vitamine C.

Confiture de bananes

∿

Donne 1,75 litre (7 tasses)

Le zeste finement râpé et le jus de 3 citrons
600 g (3 tasses) de sucre blanc
750 ml (3 tasses) d'eau
8 bananes bien mûres, écrasées
1 morceau de gingembre frais (gros comme une olive)
6 clous de girofle

Dans une casserole, à feu doux, cuire le sucre et l'eau 10 minutes. Ajouter le reste des ingrédients. Laisser mijoter de 40 à 45 minutes en remuant souvent. Jeter le morceau de gingembre avant de mettre la confiture en pots. Servir avec gaufres et muffins.

Confiture de kiwis

Donne 1 litre (4 tasses)

14 kiwis
Le jus de 2 limes
700 g (3 ½ tasses) de sucre

Peler et hacher 10 kiwis et les mettre dans une marmite avec le jus de lime. Laisser mijoter jusqu'à ce qu'ils soient tendres. Retirer du feu et incorporer le sucre. Laisser mijoter de nouveau jusqu'à l'obtention d'une belle consistance. Peler les autres kiwis, les couper en tranches et les incorporer à la confiture. Mettre en pots immédiatement et sceller.

Confiture de tomates vertes

2,75 kg (6 lb) de tomates vertes, en tranches fines
2 kg (10 tasses) de sucre
1 citron, en tranches fines
1 gousse de vanille, fendue sur la longueur
ou 2 c. à soupe de gingembre frais,
pelé et coupé en tranches fines

Laisser reposer les tomates avec le sucre et la gousse de vanille pendant 24 heures. Mélanger avec le citron et cuire jusqu'à consistance de gelée en remuant continuellement en fin de la cuisson.

Note : On peut remplacer la gousse de vanille par du sucre vanillé (garder tout simplement 2 gousses de vanille dans le sucrier).

Fruits marinés aux épices

༄

500 ml (2 tasses) de vinaigre
1 kg (5 tasses) de sucre
1,5 à 2 kg (3 à 4 lb) de fruits (poires, pêches,
groseilles, gadelles, cerises), en gros quartiers

Dans un sachet :

4 ou 5 clous de girofle
1 petit bâton de cannelle
2 étoiles de badiane (anis étoilé)

Porter le vinaigre à ébullition et y dissoudre le sucre. Cuire doucement 10 minutes avec le sachet d'épices. Ajouter les fruits et cuire jusqu'à ce qu'ils soient tendres. Jeter le sachet. Mettre en pots et couvrir de vinaigre. Sceller immédiatement.

Gelée de poivrons rouges

Donne 1 litre (4 tasses)

3 poivrons rouges, hachés finement
1 oignon moyen, haché finement
1 ½ c. à café (à thé) de sel
900 g (4 ½ tasses) de sucre
310 ml (1 ¼ tasse) de vinaigre blanc
125 ml (½ tasse) de jus de citron frais
6 clous de girofle
1 c. à café (à thé) de flocons de piment fort
1 bouteille de 170 ml de pectine

Mélanger les poivrons et l'oignon avec le sel. Laisser égoutter dans une passoire pendant 3 heures. Presser les légumes, puis les mettre dans une marmite avec le reste des ingrédients, sauf la pectine. Laisser mijoter 10 minutes en remuant souvent. Ajouter la pectine et cuire 1 minute. Verser dans des pots à gelée et sceller. Servir sur des tranches de baguette avec des fromages de type cheddar.

Gelée de poivrons verts

320 g (2 tasses) de poivrons verts, hachés finement
250 ml (1 tasse) de vinaigre de cidre
1,1 kg (5 ½ tasses) de sucre
250 ml (1 tasse) de jus de citron frais
1 bouteille de 170 ml de pectine

Dans une marmite, porter les poivrons, le vinaigre et le sucre à ébullition en remuant sans cesse. Retirer du feu et laisser reposer 15 minutes. Ramener à ébullition. Ajouter le jus de citron et cuire 2 minutes à feu doux. Retirer du feu. Incorporer la pectine et cuire 1 minute. Mettre en pots. Ne pas consommer avant 1 mois.

Groseilles à maquereau épicées marinées

Donne 1,75 litre (7 tasses) environ

1 kg (4 ½ tasses) de cassonade
250 ml (1 tasse) de vinaigre
125 ml (½ tasse) d'eau
1 morceau de cannelle de 5 cm (2 po)
8 clous de girofle
¼ de c. à café (à thé) de muscade
2 baies de piment de la Jamaïque
1,2 kg (10 tasses) de groseilles, équeutées
aux deux bouts

Dans une marmite, laisser mijoter la cassonade, le vinaigre, l'eau et les épices. Ajouter les groseilles et cuire à feu doux de 30 à 40 minutes, jusqu'à ce qu'elles soient tendres et que le sirop soit épais. Mettre en pots et sceller. Servir avec le rôti de porc ou de bœuf.

Mélanges d'épices
pour marinades

~~~

Bien qu'on trouve de bons mélanges d'épices pour marinades dans le commerce, on peut en composer soi-même en mélangeant graines de moutarde, de coriandre et de céleri, grains de poivres noir et blanc, piment de la Jamaïque ou clous de girofle entiers, cannelle concassée, sarriette, feuilles de laurier brisées et petits piments forts séchés. On peut aussi ajouter au goût les épices suivantes : graines de cardamome, de badiane (anis étoilé) ou de cumin. Mettre les épices dans un sachet (compter 1 c. à soupe d'épices pour 1 litre [4 tasses] de vinaigre) et les infuser préalablement dans le vinaigre chaud (voir aussi Vinaigres épicés, p. 164) ou la marinade. On emploiera du gingembre frais pelé de préférence (râpé ou haché finement). La muscade, le curcuma (employé aussi pour donner une couleur jaune aux marinades) et le macis doivent être moulus. Pour plus de fraîcheur, il est préférable de moudre soi-même les épices dans un mortier à l'aide d'un pilon. Les petites graines peuvent être moulues au moulin à poivre ou à café.

Mincemeat

∽

400 g (2 tasses) de graisse de rognons de bœuf, hachée
360 g (3 tasses) de pommes dures, hachées
355 g (1 tasse) de gelée de raisins ou de pommes
1 litre (4 tasses) de jus de raisin ou de cidre
690 g (3 tasses) de cassonade
800 g (5 ½ tasses) de raisins secs
440 g (2 ¾ tasses) de raisins de Corinthe
100 g (½ tasse) d'écorces de fruits confites, hachées
Le zeste râpé et le jus de 2 oranges
Le zeste râpé et le jus de 2 citrons
1 c. à café (à thé) de sel
1 c. à café (à thé) de cannelle moulue
½ c. à café (à thé) de muscade
½ c. à café (à thé) de clou de girofle moulu
Rhum ou xérès

Bien mélanger tous les ingrédients, sauf l'alcool. Couvrir et laisser reposer 3 jours dans un lieu frais en remuant chaque jour. Si, après 3 jours, la préparation est trop sèche, ajouter de l'alcool à volonté. Remplir les pots et éliminer les bulles d'air. Verser 1 ou 2 c. à soupe d'alcool dans chacun. Sceller et laisser reposer au frais au moins 1 mois avant d'utiliser dans des tartes.

Moutardes maison (3 versions)

❧

1re version

140 g (¾ de tasse) de graines de moutarde
50 g (½ tasse) de moutarde sèche
250 ml (1 tasse) de vin blanc sec de qualité
6 c. à soupe d'huile d'olive
Miel ou sucre au goût (facultatif)

Écraser les graines de moutarde au mortier, puis ajouter le reste des ingrédients. Passer au mélangeur. Cette moutarde peut être assaisonnée au raifort, à la ciboulette, à l'échalote, au persil, à l'estragon, à l'ail, au citron ou au poivre vert.

2e version

400 g (3 tasses) de farine
800 g (4 tasses) de sucre
1 c. à café (à thé) de sel
1 c. à café (à thé) de poivre noir
125 ml (½ tasse) de vinaigre à l'estragon
50 g (½ tasse) de moutarde sèche
5 c. à soupe combles de moutarde préparée
douce ou forte

Mélanger tous les ingrédients et allonger avec un peu de vinaigre pour obtenir la consistance désirée.

3e version

**Cette troisième version est celle de Louis Lagriffe,
auteur du *Livre des épices, condiments et aromates*,
Marabout, 1968 :**

« Mêlez ensemble : échalotes pilées, 30 g (1 oz) ; poivre
noir en poudre, 12 g (½ oz) ; sel de cuisine, 120 g
(4 oz) ; poudre de moutarde, 500 g (1 lb) ; 3 muscades
pulvérisées ; 8 g (¼ d'oz) de poudre de piment ; 70 g
(½ tasse) de raifort râpé ; vinaigre aromatique, 250 g
(½ lb) ; bouillon en quantité suffisante pour donner de la
consistance. Remuez avec un fer rougi au feu. »

Pêches entières marinées

~~~

1 litre (4 tasses) de vinaigre de cidre
1,6 kg (8 tasses) de sucre
1,5 kg (3 lb) de pêches bien juteuses et fermes

Dans un sachet :

1 bâton de cannelle, concassé
1 c. à soupe de clous de girofle entiers

Dans une marmite, porter le vinaigre à ébullition et y
dissoudre le sucre. Ajouter le sachet d'épices et cuire de
10 à 12 minutes. Entre-temps, blanchir les pêches dans
l'eau bouillante de 1 à 2 minutes, puis les refroidir
dans l'eau froide. Égoutter, dénoyauter et peler. Cuire
dans le sirop de 5 à 8 minutes. Retirer du feu et laisser
reposer de 10 à 12 heures. Retirer les pêches du sirop
et les mettre en pots. Jeter le sachet. Cuire le sirop à
feu vif 5 minutes en veillant à ce qu'il ne déborde pas.
Couvrir les pêches de sirop bouillant et sceller les pots.
Attendre au moins 2 mois avant de consommer.

Raifort mariné

～～

Donne 250 ml (1 tasse) environ

2 racines de raifort
125 ml (½ tasse) de vinaigre
¼ de c. à café (à thé) de sel
Sucre au goût

Laver les racines de raifort, peler et râper (ou couper en petits cubes et passer au mélangeur). Incorporer le vinaigre, le sel et le sucre. Garder au froid.

Sirop de baies d'églantier

～～

1,6 kg (3 ½ lb) de baies d'églantier
4,5 litres (18 tasses) d'eau
900 g (4 ½ tasses) de sucre

Nettoyer et hacher les baies d'églantier. Porter 3 litres (12 tasses) d'eau à ébullition et y déposer les fruits. Ramener à ébullition, cuire quelques minutes puis écraser les fruits au chinois. Verser la pulpe obtenue dans un sac à gelée. Laisser égoutter toute la nuit dans un grand contenant. Le lendemain, remettre la pulpe dans la marmite. Ajouter 1,5 litre (6 tasses) d'eau et cuire de 8 à 10 minutes. Remettre la pulpe dans le sac. Laisser égoutter toute la nuit. Le lendemain, verser le jus obtenu dans la marmite, ramener à ébullition et cuire jusqu'à ce qu'il n'en reste plus que 500 ml (2 tasses). Incorporer le sucre et cuire 5 minutes en remuant. Surveiller la cuisson afin que le sirop ne déborde pas. Verser dans des bouteilles stérilisées.

Une fois ouverte, une bouteille se conserve de 1 à 2 semaines au réfrigérateur. Pour servir, allonger le sirop avec de l'eau et servir très froid. Excellente source de vitamine C.

Vinaigre à l'ail et aux échalotes

15 échalotes, hachées
2,5 litres (10 tasses) de vinaigre
2 ou 3 branches d'estragon
30 grains de poivre blanc
4 feuilles de laurier
4 gousses d'ail

Dans une marmite, mélanger les échalotes, le vinaigre, l'estragon et le poivre. Porter à ébullition, cuire un peu, puis ajouter le laurier et l'ail. Cuire à feu doux jusqu'à réduction de moitié. Filtrer le vinaigre dans un plat. Retirer le laurier, le poivre et l'estragon de la passoire, écraser le reste des ingrédients pour extraire le plus de jus possible. Incorporer ce jus au vinaigre et verser dans des bouteilles stérilisées. Excellent dans les vinaigrettes.

Vinaigre aux graines de céleri

120 g (1 tasse) de graines de céleri
1 litre (4 tasses) de vinaigre

Faire macérer les graines de céleri dans le vinaigre de 3 à 4 semaines, puis filtrer au tamis. Incorporer dans les vinaigrettes, soupes, ragoûts, etc.

Vinaigres épicés (3 versions)

~~~

1re version – Doux

15 g (½ oz) de clous de girofle entiers
15 g (½ oz) de baies de piment de la Jamaïque
15 g (½ oz) de bâton de cannelle concassé
15 g (½ oz) de gingembre frais, pelé et haché
15 g (½ oz) de poivre blanc en grains

2e version – Aromatique

15 g (½ oz) de graines de coriandre
15 g (½ oz) de baies de piment de la Jamaïque
15 g (½ oz) de cardamome
15 g (½ oz) de bâton de cannelle concassé
15 g (½ oz) de clous de girofle entiers
6 feuilles de laurier

3e version – Piquant

15 g (½ oz) de graines de moutarde
15 g (½ oz) de baies de piment de la Jamaïque
15 g (½ oz) de clous de girofle entiers
15 g (½ oz) de grains de poivre noir
1 ou 2 petits piments fort séchés

Pour chacun des mélanges, compter 3,75 litres (15 tasses) de vinaigre. Mettre les épices dans un sachet et laisser mijoter 30 minutes dans le vinaigre. Jeter le sachet. Laisser refroidir et embouteiller.

Annexes

Origine des noms
de légumes

Artichaut : probablement amélioré par la culture et connu seulement depuis le Moyen-Âge, l'artichaut doit son nom à l'arabe *al-karchouf,* devenu tour à tour *alcarchofa* en espagnol et *articiocco* en italien.

Asperge : originaire des lieux sablonneux d'Europe centrale et méridionale, ce légume doit son nom au grec *asparagos,* qui signifiait sans semence. « Parce que les plus belles asperges ne sont pas celles qui viennent de graines, et qu'on multiplie l'espèce comestible par division des rhizomes. » (Marie-Victorin)

Aubergine : de culture très ancienne en Inde, son nom provient du sanscrit *vatin-gana,* devenu en arabe *albadinjan* puis *aubergine* (1798).

Betterave : originaire des côtes sablonneuses du nord de l'Europe et cultivée d'abord en Germanie, son nom est composé du latin *beta* et du français *rave* lui-même issu du radical sanscrit *rap,* qui exprimait peut-être l'idée de renflement.

Carotte : d'origine eurasienne, elle doit son nom à un vieux mot sanscrit devenu en grec *karôton* et *carota* en latin.

Céleri : créé à partir du céleri sauvage (ou ache) par les jardiniers italiens du Moyen-Âge, son nom provient du piémontais *seleri* lui-même peut-être dérivé du grec *selinon.* Ce nom n'est apparu en français qu'en 1600.

Chou : le nom de *chou,* plante originaire des côtes de l'Atlantique Nord, provient du celtique *kol* (breton), *cal* (irlandais) et *koal* (germanique danois) ; appelé *chol* en vieux français, son nom actuel ne s'est fixé qu'au xve siècle. Le nom de *brocoli* provient de l'italien *broccoli,* qui signifie petites pousses. Le nom de *chou-fleur* provient aussi de l'italien *cauli-fiori.* Quant au nom de *chou de Bruxelles*, apparu en français seulement en 1820, rien ne prouve son origine belge.

Concombre (et cornichon) : de culture très ancienne en Inde, il doit son nom au latin *cucumis* devenu tour à tour *cucumer* (latin médiéval), *cocombre* (vieux français) et *concombre* (xive siècle). Le *cornichon* doit son nom à sa forme de « petite corne » ; il apparaît en français en 1549.

Crosnes du Japon : peu connu au Québec, il s'agit pourtant d'un légume très fin dont le nom correspond à son premier lieu de culture en France (1882). Malgré son nom, il ne provient pas du Japon mais de Chine.

Échalote : inconnue à l'état sauvage, son nom fut tour à tour en français *eschaloigne, échalette* puis *eschalote.*

Épinard : originaire d'Asie occidentale, son nom provient de l'iranien *ispanaj* devenu en arabe *isfanach* puis *spinachium* en latin médiéval ; en français le mot s'est tour à tour transformé en *espinach, espinar* pour ne se fixer sous sa forme actuelle qu'en 1331.

Haricot (et fève) : malgré qu'il soit originaire de l'Amérique du Sud, ce légume doit son nom au grec *arakos,* devenu en italien *aroco* puis *aricot* en français. Le nom actuel s'est fixé en 1642. Quand au nom de *fève*, il provient du latin *faba.* Les fèves sont originaires d'Asie centrale.

Laitue : probablement cultivée d'abord en Orient, elle doit son nom au latin *lactucai* à cause du suc «laiteux» qu'elle contient. La *romaine* doit son nom au fait qu'elle est originaire d'Avignon où siégeait alors la cour pontificale.

Maïs : originaire des Amériques (où il était cultivé du Pérou jusqu'en Gaspésie), il doit son nom à l'indien haïtien *mahis*. Il apparaît dans notre langue sous la forme *mahiz* en 1555. La plante n'est plus connue que sous sa forme cultivée.

Navet : du latin *napus*. Le mot s'est tour à tour transformé en français en *nap, nef, navel* et *naveau*.

Oignon : croissant à l'état sauvage de la Palestine à l'Inde, son nom provient du latin vulgaire *unio* (dans le sens d'oignon et non d'union). Devenu *onhon* en ancien provençal, son nom actuel est attesté dès le XIIIe siècle.

Panais : d'origine eurasienne, ce légume doit son nom au latin *pastinaca,* devenu tour à tour *pastenaga* en ancien provençal puis, en vieux français, *pastenade, pasnaie* et *pasnais*.

Piment (et poivron) : originaire du Brésil, mais cultivé depuis des millénaires du Chili jusqu'au Mexique, le piment doit son nom au latin *pigmentum* (signifiant d'abord pigment, puis aromate ou épice). Le nom de piment est attesté depuis le XVIIe siècle. Le nom de poivron provient bien sûr du nom du poivre (issu du sanscrit *pipali*).

Poireau : originaire du bassin méditerranéen, il doit son nom au latin *porrum*. On l'écrivit d'abord *porreau* en français.

Pois : d'origine eurasienne, son nom provient du grec *pisos* devenu ensuite en latin *pisum*.

Pomme de terre : originaire des Andes, elle doit tout simplement son nom au fait que sa partie comestible pousse sous terre. La patate douce est aussi d'origine américaine et son nom provient de l'indien haïtien *batata*.

Radis : du latin *radice* (racine), le mot apparaît en français en 1507.

Raifort : le nom de ce condiment provient des mots *raiz fors,* qui signifient racine âcre.

Rutabaga : originaire du nord de l'Europe, il doit son nom au suédois dialectal *rotabagge*.

Salsifis : connu seulement depuis la Renaissance, son nom provient d'un mot italien d'origine inconnue *salsi-fica*. Il apparaît en français sous la forme de *sercifi* en 1600 (dans le premier traité d'agriculture français, *Le Théâtre d'Agriculture et mesnage des champs*, d'Olivier de Serres).

Tomate : originaire d'Amérique du Sud, elle doit son nom à l'aztèque *tomati*. La forme sauvage est grimpante et ne porte que des fruits minuscules.

Topinambour : originaire de l'ouest de l'Amérique du Nord, Champlain en parle dans ses écrits en 1603. Introduit en France vers cette époque, son nom provient de celui d'une tribu… brésilienne alors en voyage à Paris. Il s'agit donc d'une méprise.

TABLEAU I

GUIDE DE CONGÉLATION DES LÉGUMES

	Préparation	Temps de blanchiment (minutes)	Durée de conservation (mois)
Asperge	Bien laver puis couper la partie coriace. Couper en longueurs égales ou en morceaux. Placer ensuite tête en bas dans les bocaux sans tasser.	2-4 (selon la taille)	12
Aubergines	Couper en tranches assez minces.	4	12
Betteraves (petites)	Cuire avec 5 cm (2 po) de tiges, puis égoutter et peler. Les feuilles se congèlent comme celles de l'épinard.	nil	6
Brocoli	Faire tremper dans l'eau froide salée, puis égoutter avec soin. Couper en petits morceaux.	3	12
Carottes (petites)	Parer et laisser entières.	3-4	8
Champignons	Laver les champignons cultivés, mais essuyer avec un papier humide ceux qui sont sauvages (morilles, chanterelles, etc.). Couper en tranches et cuire avec échalotes, beurre, branche de thym, sel et poivre. Laisser refroidir, puis congeler tels quels.	nil	12
Choux de Bruxelles	Parer les légumes.	3-5 (selon la taille)	12
Chou-fleur	Procéder comme pour le brocoli.		
Épinards (et tous les légumes-feuilles)	Bien laver dans plusieurs eaux pour les débarrasser de la terre.	2-3	12
Fèves diverses (gourganes, etc.)	Écosser les gousses.	2-4	12

Haricots (verts et jaunes)	Parer, puis laisser entiers ou couper en julienne (à la française ou en morceaux de 2,5 cm [1 po]).	3	12
Maïs en grains (jeunes et très frais cueillis)	Éplucher, blanchir 4 minutes et refroidir dans l'eau froide. Égoutter et égrener à l'aide d'un bon couteau. Congeler tel quel.		8
Maïs entier	Parer les épis puis les blanchir de 7 à 11 minutes (selon la taille). Refroidir dans l'eau froide et égoutter. Étaler sur une plaque, congeler et ranger dans des sacs.		8
Oignons (petits)	Parer et congeler tels quels. Les sacs doivent être bien scellés afin que les oignons ne transmettent pas leur odeur aux autres aliments.	nil	12
Poireaux	Parer et nettoyer avec soin. Congeler séparément les blancs (entiers) et les feuilles (coupées en tranches fines).	Blancs: 3-4	12
Pois (petits et mange-tout)	Écosser et blanchir. Refroidir dans l'eau froide et égoutter. Étaler sur une plaque. Congeler puis mettre dans les sacs.	1½	12
Poivrons	Parer et couper en lanières ou laisser entiers (comme, par exemple, pour faire des piments farcis). Congeler sans blanchir et couper tandis qu'ils sont encore congelés.	nil	8
Salsifis	Parer et peler (avec des gants ou dans l'eau froide vinaigrée pour ne pas se tacher les mains). Couper en longueurs égales pour une meilleure présentation au moment de servir.	4-5	12
Tomates	Procéder comme pour la Conserve de jus de tomate (voir p. 54), mais congeler le jus plutôt que de le mettre en pots. On peut aussi cuire les tomates blanchies et pelées avec sel, poivre et sucre 10 minutes environ ce qui donne une base excellente pour de nombreuses recettes.	nil	

TABLEAU II

GUIDE DE MISE EN CONSERVE
DES LÉGUMES

	Stérilisation			
	Blanchiment (en minutes)	Ordinaire (heures)	Autoclave (minutes)	Remarques particulières
Asperge	3-4	2	30-35	Mettre en pots très frais, tête en bas.
Betterave	15-20	2	30-35	Cuire partiellement avec 5 cm (2 po) de tige puis peler. Ajouter 1 c. à soupe de vinaigre par litre (4 tasses) (contre la décoloration).
Brocoli	5	2	20-35	
Carottes (petites)	4	2	30-35	Brosser après blanchiment.
Céleri	2	2	30-35	
Champignons	3	2	30-35	Blanchir 3 minutes en eau bouillante salée et vinaigrée. Recouvrir d'une eau chaude nouvelle.
Choux de Bruxelles	5	3	40	Blanchir à la marguerite.
Chou-fleur	5	3	40	Laisser tremper 1 heure dans l'eau froide salée avant de blanchir.

Chou		3	40	Blanchir à la vapeur. Ne pas presser dans le pot.
Épinard (et autres légumes-feuilles)	5-8	3	60	Blanchir à la marguerite. Ne pas presser dans le pot.
Haricots	3	2	30-35	
Maïs (en grains)	4	3	60-70	Mettre autant d'eau que de maïs dans les pots. Ne pas presser.
Navet	5-10	2	30-35	Peler avant blanchiment.
	5	2	30-35	Brosser après blanchiment.
Pois vert et mange-tout	1	3	40-45	Mettre en pots très frais, sans les presser.
Salsifis	4-5	2	30-35	Ajouter un peu de vinaigre à l'eau de blanchiment.
Tomates	3-4	2	30-35	Blanchir, refroidir dans l'eau froide, égoutter et peler. Couvrir de jus de tomate. Ajouter du sel et un peu de sucre.

TABLEAU III

GUIDE DE CONSERVATION DES LÉGUMES FRAIS

Légende : F – froid, CH – chaud, S – sec, H – humide.

Sous le sable : enfouir dans du sable sec à une profondeur suffisante pour inhiber la germination.

Ciré : complètement enduire de paraffine tiède.

Ail blanc	FS	Accroché en chapelets	4-6 mois
Ail rose	FS	Accroché en chapelets	6-8 mois
Betterave	FH	Sous le sable	6-8 mois
Carottes	FH	Sous le sable	6-8 mois
Céleri	FH	Dans des sacs de plastique	3 mois
Céleri-rave	FH	Sous le sable ou cirés	6-8 mois
Chicorée-endive	FH	Sous le sable jusqu'au forçage	6-8 mois
Choux d'hiver et choux rouges	FH	Accrochés, tête en bas	4-6 mois
Choux de Bruxelles	FH	Accrochés, tête en bas	4-6 mois
Choux-raves	FH	Sous le sable ou cirés	6-8 mois
Courges d'hiver et citrouilles	CH	Étalées sur des étagères	3-4 mois (5-15 °C)
Navets	FH	Sous le sable ou cirés	6-8 mois
Oignons	FS	Accrochés en bottes	6-8 mois
Panais	FH	Sous le sable ou cirés	6-8 mois
Poireau	FH	Sous le sable	4-6 mois
Pomme de terre	FH	Sous le sable	6-8 mois
Radis noir	FH	Sous le sable ou cirés	6-8 mois
Raifort	FH	Sous le sable ou cirés	8-12 mois
Salsifis	FH	Sous le sable ou cirés	6-8 mois
Tomates	CHS	Enveloppées séparément dans du papier journal	6-8 mois

Notes

Notes